Trois Nouvelles de

Georges Simenon

edited by
Frank W. Lindsay
RUSSELL SAGE COLLEGE
Anthony M. Nazzaro
SKIDMORE COLLEGE

ILLUSTRATIONS BY ALLYN AMUNDSON

Trois Nouvelles de Georges Simenon

New York
Appleton-Century-Crofts
DIVISION OF MEREDITH CORPORATION

740-5

Library of Congress Card Number: 66-10330

PRINTED IN THE UNITED STATES OF AMERICA

E 81029

preface

This volume of three *nouvelles* by Georges Simenon is offered as a reading text for students of French who have studied the language for at least two semesters in college or four semesters in secondary school. The editors consider these stories to be particularly suitable for class use at this level because they offer certain stylistic features which are highly desirable at the intermediate stage of language learning: (1) a preponderance of dialogue, hence much short, simple, idiomatic sentence structure; (2) a limited vocabulary having a high incidence of useful, everyday words and an almost total absence of technical or esoteric terms; (3) frequent repetition in varying contexts of a limited number of high-frequency idiomatic expressions.*

In addition to these specifically linguistic features, this anthology presents modern characters, offers concrete action arising out of understandable motivation, and grips the attention by making generous use of suspense—qualities generally sought by teachers and students alike.

In our opinion, all of the features described above enhance the language-learning process by promoting not only compatibility between student and text through the actuality and attractiveness of the subject matter, but also ease of understanding through structural simplicity and ease of retention through frequent repetition.

* Cf. *Reading for Meaning*, report of the 1963 Northeast Conference on the Teaching of Foreign Languages.

As a further aid to understanding, the editors have prepared a questionnaire designed to encourage conversational exchange in the classroom while eliciting a résumé of the main points, both factual and psychological, of each story.

For teachers desiring to promote retention as well as facility in the use of certain important idiomatic expressions of high frequency, we have constructed a series of pattern drills and exercises, each dealing with a specific idiom and keyed by an asterisk with an example of the idiom as it appears in the text. Conscientious use of these drills should greatly aid the student in acquiring mastery of a significant body of conversational material.

F.W.L.
A.M.N.

contents

Trois Nouvelles de

Georges Simenon

introduction

Georges Simenon was born in Liège, Belgium, a few minutes past midnight on Friday, February 13, 1903, of a Flemish mother and a Breton father. One of his biographers declares that his mother's superstitious fear of that date was the reason that his birth certificate bears the date of the preceding day.

The child was brought up in an international and polyglot atmosphere because, in order to supplement his father's meager salary, his mother took in lodgers, many of whom were university students from foreign countries, notably Poland and Russia. This circumstance explains the boy's early interest in such writers as Gogol and Dostoyevsky with whose works he became as familiar as he did with many of the classics of French literature. Indeed, a Dostoyevskian point of view may be discerned in many of Simenon's novels. Contact with his mother's foreign lodgers may also have had a good deal to do with Simenon's taste for travel and his ability to adapt himself to the atmosphere, habits, and customs of the many foreign countries which he has visited and in which he has lived.

Simenon's desire to be a writer developed early. For financial reasons he was obliged to withdraw from school at the age of fifteen and—after a brief interlude spent as clerk in a bookshop from which (the story goes) he was dismissed because he displayed, in front of the customers, a more profound acquaintance with French authors than did the proprietor—he soon found work as a reporter for the *Gazette de Liège*. As an employee of the newspaper, he practised the craft of his chosen profession not only as a reporter, but as a novelist, sometimes mingling the functions of the two in a rather bizarre way. Possibly in order to try out his powers of imagination, the young reporter occasionally stayed away from the lecture he had been assigned to cover for his paper, handing in a review of the lecture based entirely on his knowledge of the speaker's personality and the general topic of the speech. This procedure, as Leon Thoorens points out,[1] succeeded quite well for Simenon—except in the case of an abruptly cancelled lecture!

Meanwhile the young writer was exercising his creative imagination on a grander and more productive scale, publishing, in 1920, his first novel, *Au Pont des Arches.* This novel was soon to be followed by upwards of two hundred more, written during the next few years under an astonishing series of pseudonyms: Georges Sim, Christian Brulls, Georges-Martin-Georges, Gom Gut, and others still more fantastic (one is reminded of the fanciful pen names adopted by the youthful Balzac, whose early literary exploits are inevitably recalled by those of Simenon).

Moving to Paris in the early 1920's, Simenon continued his self-imposed apprenticeship in the writer's craft by writing about 150 books for various publishers between 1924 and 1933. By this time, he had not only produced enough books of solid merit to establish his name—his real one this time—but had also found a regular publisher in Arthème Fayard and had created a character—Inspector Maigret—whose name has become as famous as those of Sherlock Holmes and Hercule Poirot in the annals of detective fiction.

Simenon's creation of Maigret and his relationship with Fayard as symbols of his success in the literary world are the outstanding events in the first of three major divisions to be discerned in his career to date. The second of these, extending from 1934 to 1948, and generally referred to as *la période Gallimard,* is marked by his connection with the great publishing house of Gallimard, by his intensified activity in the field of the serious novel—what he himself calls the *roman dur*—and by an

[1] In Leon Thoorens, *Qui êtes-vous, Georges Simenon?* (Verviers, Editions Gérard, 1959), p. 69.

almost total abandonment of Maigret. To this period belong a number of works which have received serious critical consideration and no little acclaim—novels such as *Le Testament Donadieu, L'Homme qui regardait passer les trains,* and *Cour d'assises.* It was during the Gallimard period that Simenon gained and enhanced his reputation as a master of psychological realism with a special talent for blending character and atmosphere in such a way as to show the effects of the latter upon the former and to suggest the necessary truth of this relationship, much more subtle than that which exists between character and *environment.*

The third and current period in Simenon's career, identified by the name of his new publisher, Presses de la Cité, began in 1946 (thus overlapping for two years with the Gallimard period) and has continued to the present. It has been signalized by the reemergence of Maigret, ". . . un Maigret encore plus senti, plus coloré, plus mûr, qui poursuit avec un œil profond, mélancolique et indulgent ses nombreuses battues dans le champ d'une humanité pécheresse et tourmentée," [2] and by a progressive effort on Simenon's part to achieve in his *romans durs* an ever more concentrated view of the human condition through the presentation of individual men and women each caught up in the crisis of his or her life's drama. In the majority of his novels, Simenon sees these people as the victims of circumstances brought about by their own failings and shortcomings, doomed to failure and destruction. Both this essentially tragic view of life and the means by which it is expressed recall the great classical tragedies of Racine. The techniques of Simenon may be totally unlike those of Racine, but the artistic goals of the two men and their means of attaining them are similar. There is, indeed, much about the economy and concentration of Simenon's best work that is intensely classical. The universality of the classical ideal is evoked in another statement by Quentin Ritzen, who writes, "Dans le roman d'aujourd'hui, qui pour [Simenon] est *universel,* regarder l'homme de plus en plus près, le montrer de plus en plus nu—avec des moyens de plus en

[2] Quentin Ritzen, *Simenon avocat des hommes* (Paris, Le Livre Contemporain, 1961), p. 130.

plus simples—c'est désormais le désir de Simenon."[3] It is precisely this close scrutiny which has prompted François Mauriac, a novelist who has himself been likened to Racine, to remark of Simenon's recent work, *Les Anneaux de Bicêtre,* that it penetrates to a truth which none of Simenon's predecessors has flooded with such naked, almost unbearable light.

In addition to almost two hundred novels, Simenon has produced many fine stories of the *nouvelle* type which share, within a smaller compass but with no diminution in intensity, those qualities for which Simenon the novelist is world famous: both physical and psychological realism, an almost uncanny feeling for local color and its value in the delineation of character, directness and economy in the narrative art, and suspense of the most gripping kind. Three such stories, all selected from the *Presses de La Cité* period, make up the present anthology; two of them are detective stories with Inspector Maigret as the chief character.

Detective fiction usually depends for its effect upon the logical, inductive method with its chain of circumstantial proofs and its final demonstration of how and why a crime was committed. But this essentially plot-oriented approach is rejected by Simenon, for whom intuitive insight and knowledge of human nature assume far greater importance. Such a view of the genre explains the uniqueness of Inspector Maigret who, to his qualities of patience and determination, to his sense of proportion and of duty, adds, above all, understanding and compassion. In the first story, *Maigret et l'inspecteur Malgracieux,* for example, he goes to excessive lengths to salvage the self-esteem of the discouraged and hen-pecked Inspector Lognon, even at the expense of his own. In *La Pipe de Maigret* he foresees in the youthful, attractive Mathilde a future Mme Leroy—middle-aged, soured, nagging—but he is also able to imagine the latter as having once resembled Mathilde. Maigret's brief, pessimistic meditation, encompassing the whole life-span of a woman, illustrates his usually sympathetic understanding of the human condition.

No estimate of Maigret's character and talents would be

[3] *Ibid.,* p. 152 (Ritzen's italics).

complete without taking into account his peculiar sensitivity to the intangibles of character and atmosphere. His most characteristic approach to the mysteries he is called upon to solve is to steep himself in the particular milieu. "Il était là, comme une éponge, à s'imprégner lentement de tout ce qui suintait autour de lui." [4]

Maigret's receptiveness, free from prejudice, to the atmosphere or "climate" of a situation facilitates his discovery of those essential but elusive relationships which bring the whole psychological pattern into focus and lead to the solution of the mystery. The solution, however, is of secondary interest and importance. The reader derives his greatest satisfaction not from the solution of the riddle, as in the conventional "whodunit," but rather from the subtle interplay of psychological truths grasped by Maigret's *esprit de finesse.*

The remaining story, *Sous Peine de mort,* illustrates the manner in which the creative imagination of Simenon takes as its point of departure a single character and, thrusting him into a critical situation, impels him to commit an act of which, under normal circumstances, he would be incapable. The mild-mannered Oscar Labro, disquieted by threats received in the mail and harassed by vague feelings of guilt over an act from his remote past, falls prey to the intimidations of Jules, a stranger who claims to have suffered at Labro's hands. By perpetrating this hoax, Jules unwittingly sets in motion the psychological machinery which leads to his own destruction. In the final confrontation between the two men, Labro acts in a way that heretofore might have seemed totally foreign to his character. That which was only potential has been made actual. We are, in Simenon's view, all Labros in the sense that, given sufficient provocation, any man is likely to go beyond rational bounds in a desperate effort of self-preservation.

What Simenon's admirers have been proclaiming for three decades has of late received frequent critical confirmation on both sides of the Atlantic. This confirmation is the more notable in that it comes not from critics alone but from novelists of established reputation. We have already mentioned François

[4] *La Pipe de Maigret,* p. 67.

Mauriac's admiration of Simenon's penetrating psychological insights. André Gide long ago praised Simenon's ability to make the reader reflect and called him the most truly novelistic novelist in French literature today. Thornton Wilder has commended his rare narrative gift; W. Somerset Maugham, J. B. Priestley, and Ernest Hemingway, his eminent readability and the absorbing interest of his work. It is such qualities as these which make Simenon one of the significant literary figures of our time.

The stories in this collection, although more entertaining than thought-provoking, offer a sampling of many of the characteristics that have gained a solid literary reputation for their author. It is the editors' hope that this anthology will serve to stimulate in the student an interest in further exploration of the imaginative world of Georges Simenon.

Maigret et l'inspecteur Malgracieux

chapitre 1

Un Monsieur qui n'aime pas plus la vie que la police

Le jeune homme déplaça légèrement le casque d'écoute sur ses oreilles.

—Qu'est-ce que je disais, mon oncle? ... Ah! oui ... Quand la petite est rentrée de l'école et que ma femme a vu qu'elle avait des plaques rouges sur le corps, elle a d'abord cru que c'était la scarlatine et ...

Impossible de finir une phrase un peu longue; invariablement une des petites pastilles s'éclairait dans l'immense plan de Paris qui s'étalait sur tout un pan de mur. C'était dans le XIIIe arrondissement, cette fois, et Daniel, le neveu de Maigret, introduisant sa fiche dans un des trous du standard, murmurait:

—Qu'est-ce que c'est?

Il écoutait, indifférent, répétait pour le commissaire assis sur un coin de table:

—Dispute entre deux Arabes dans un bistrot de la place d'Italie ...

Il allait reprendre son récit au sujet de sa fille, mais déjà une autre pastille blanche encastrée dans la carte murale s'éclairait.

—Allô! ... Comment? ... Accident d'auto boulevard de La Chapelle? ...

Derrière les grandes fenêtres sans rideaux, on voyait la pluie tomber à torrents, une pluie d'été, longue et très fluide, qui mettait des hachures claires dans la nuit. Il faisait bon, un peu lourd, dans la vaste salle de Police-Secours où Maigret était venu se réfugier.

Un peu plus tôt, il se trouvait dans son bureau du quai des Orfèvres.[1] Il devait attendre un coup de téléphone de Londres au sujet d'un escroc international que ses inspecteurs avaient repéré dans un palace [2] des Champs-Élysées. La communication pouvait aussi bien venir à minuit qu'à une heure du matin, et Maigret n'avait rien à faire en attendant; il s'ennuyait, tout seul dans son bureau.

Alors il avait donné ordre au standard de lui passer toutes les communications à Police-Secours, de l'autre côté de la rue, et il était venu bavarder avec son neveu, qui était de garde cette nuit-là.

Maigret avait toujours aimé cette immense salle, calme et nette comme un laboratoire, inconnue de la plupart des Parisiens, et qui était pourtant le cœur même de Paris.

A tous les carrefours de la ville, il existe des appareils peints en rouge, avec une glace qu'il suffit de briser pour être automatiquement en rapport téléphonique avec le poste de police du quartier en même temps qu'avec le poste central.

Quelqu'un appelle-t-il au secours pour une raison ou pour une autre? Aussitôt, une des pastilles s'allume sur le plan monumental. Et l'homme de garde entend l'appel au même instant que le brigadier du poste de police le plus proche.

En bas, dans la cour obscure et calme de la Préfecture,[3] il y a deux cars pleins d'agents prêts à s'élancer dans les cas graves. Dans soixante postes de police, d'autres cars attendent, ainsi que des agents cyclistes.

Une lumière encore.

—Tentative de suicide au gardénal dans un meublé de la rue Blanche ... répète Daniel.

[1] **quai des Orfèvres** *The streets of Paris which abut the Seine are called "quais." The* **quai des Orfèvres,** *just west of Notre-Dame on the Île de la Cité, is the location of the Palais de Justice and the offices of the Police Judiciaire, which investigates criminal cases.*

[2] **un palace** a luxury hotel

[3] **la Préfecture** The Prefecture of Police. *Across the street from the Palais de Justice, this building houses the offices of the civil police of Paris*

Toute la journée,[*] toute la nuit, la vie dramatique de la capitale vient ainsi s'inscrire en petites lumières sur un mur; aucun car, aucune patrouille ne sort d'un des commissariats sans que la raison de son déplacement soit signalée au centre.

Maigret a toujours prétendu que les jeunes inspecteurs devraient être tenus de faire un stage d'un an au moins dans cette salle afin d'y apprendre la géographie criminelle de la capitale, et lui-même, à ses moments perdus, vient volontiers y passer une heure ou deux.

Un des hommes de garde est en train de manger du pain et du saucisson. Daniel reprend:

—Elle a aussitôt appelé le Dr Lambert, et quand celui-ci est arrivé, une demi-heure plus tard, les taches rouges avaient disparu ... Ce n'était qu'une poussée d'urticaire ... Allô! ...

Une pastille vient de s'allumer dans le XVIIIe arrondissement.[4] C'est un appel direct. Quelqu'un, à l'instant, a brisé la vitre de l'appareil de secours[5] placé à l'angle de la rue Caulaincourt et de la rue Lamarck.

Pour un débutant, c'est assez impressionnant ... On imagine le carrefour désert dans la nuit, les hachures de pluie, le pavé mouillé, avec les flaques de lumière du réverbère, des cafés éclairés au loin, et un homme ou une femme qui se précipite, qui titube peut-être, ou qui est poursuivi, quelqu'un qui a peur ou qui a besoin d'aide,[†] s'entourant la main d'un mouchoir[‡] pour briser la vitre ...

Maigret, qui regarde machinalement son neveu, voit celui-ci froncer les sourcils. Le visage du jeune homme prend une expression ahurie, puis effrayée.

—Ah ça! mon oncle ... balbutie-t-il.

Il écoute encore un instant, change sa fiche de place.

[4] **le XVIIIe arrondissement** *Paris is divided into twenty administrative districts called "arrondissements." The eighteenth includes the heart of the Montmartre section of the city.*

[5] **l'appareil de secours** the alarm box. *These boxes, containing open-line telephones connected with the Prefecture, are placed at intervals throughout the city.*

[*] **toute la journée** (*see* **exercise 16**)

[†] **qui a besoin d'aide** (*see* **exercise 6**)

[‡] **s'entourant la main d'un mouchoir** (*see* **exercise 21**)

—Allô ... Le poste de la rue Damrémont? ... C'est vous, Dambois? ... Vous avez entendu l'appel? ... C'était bien un coup de feu, n'est-ce pas? ... Oui, il m'a semblé aussi ... Vous dites? ... Votre car est déjà parti? ...

Autrement dit, dans moins de trois minutes, les agents seront sur les lieux, car la rue Damrémont est toute proche de la rue Caulaincourt.

—Excusez-moi, mon oncle ... Mais c'est tellement inattendu! ... J'ai d'abord entendu une voix qui criait dans l'appareil:

» —M ...[6] pour les flics!

» Puis, tout de suite, le bruit d'une détonation ...

—Veux-tu dire au brigadier de la rue Damrémont que j'arrive et qu'on ne touche à rien en m'attendant?

Déjà Maigret s'engage dans les couloirs déserts, descend dans la cour, saute dans une petite voiture rapide réservée aux officiers de police.

Il n'est que dix heures et quart du soir.

—Rue Caulaincourt ... A toute vitesse ...

A vrai dire, ce n'est pas son travail. La police du quartier est sur place, et ce n'est qu'après avoir reçu son rapport qu'on décidera si c'est une affaire pour la Police Judiciaire. Maigret obéit à la curiosité. Il y a aussi un souvenir qui lui est revenu à l'esprit alors que Daniel parlait encore.

Au début de l'hiver précédent—c'était en octobre, et il pleuvait aussi cette nuit-là,—il était dans son bureau, vers onze heures du soir, quand il avait reçu un appel téléphonique.

—Commissaire Maigret?

—J'écoute.

—C'est bien le commissaire Maigret lui-même qui est à l'appareil?

—Mais oui ...

—Dans ce cas, je vous em ... ![7]

—Comment?

—Je dis que je vous em ... ! Je viens de descendre, en tirant par la fenêtre, les deux agents que vous avez mis en faction sur le trottoir ... Inutile d'en envoyer d'autres ... Ce n'est pas vous qui

[6] **M ... = merde** *an obscenity*
[7] **je vous em ... ! = je vous emmerde!** *a vulgar insult*

aurez ma peau ...[8]

Une détonation ...

L'accent polonais avait déjà renseigné le commissaire.

Cela se passait, fatalement, dans un petit hôtel du coin de la rue de Birague et du faubourg Saint-Antoine,[9] où un dangereux malfaiteur polonais, qui avait attaqué plusieurs fermes dans le Nord, s'était réfugié.

Deux agents, en effet, surveillaient l'hôtel, car Maigret avait décidé de procéder en personne à l'arrestation au petit jour.[10]

Un des inspecteurs avait été tué net; l'autre se rétablit après cinq semaines d'hôpital. Quant au Polonais, il s'était bel et bien tiré une balle dans la tête à la fin de sa conversation avec le commissaire.

C'était cette coïncidence qui venait de frapper Maigret, dans la grande salle de Police-Secours. En vingt ans de métier et plus, il n'avait connu qu'une seule affaire de ce genre: un suicide au téléphone, avec accompagnement d'injures.

N'était-ce pas extraordinaire qu'à six mois d'intervalle le même fait, ou à peu près, se reproduisît?

La petite auto traversait Paris, atteignait le boulevard Rochechouart, aux cinémas et dancings brillamment éclairés. Puis, dès le coin de la rue Caulaincourt, à la pente assez raide, c'était le calme, presque le désert, un autobus, par-ci par-là, qui dévalait la rue, de rares passants pressés sur les trottoirs noyés de pluie.

Un petit groupe de silhouettes sombres, au coin de la rue Lamarck. Le car de la police était arrêté à quelques mètres dans cette rue. On voyait des gens aux fenêtres, des concierges sur les seuils, mais la pluie battante raréfiait les curieux.

—Bonjour, Dambois ...

—Bonjour, monsieur le commissaire ...

Et Dambois désignait une forme étendue sur le trottoir, à moins d'un mètre de l'appareil d'appel au secours. Un homme était agenouillé près du corps, un médecin du voisinage qu'on

[8] **ce n'est pas vous qui aurez ma peau** *You* won't get me

[9] **faubourg Saint-Antoine** *former name of this street, now called rue Saint-Antoine*

[10] **au petit jour** just before dawn

avait eu le temps d'alerter. Et pourtant moins de douze minutes s'étaient écoulées depuis le coup de feu.

Le docteur se redressait, reconnaissait la silhouette populaire de Maigret:

—La mort a été instantanée, dit-il en essuyant ses genoux détrempés, puis ses lunettes couvertes de gouttes de pluie. Le coup a été tiré à bout portant,[11] dans l'oreille droite.

Maigret, machinalement, esquissait le geste de se tirer une balle dans l'oreille.

—Suicide?

—Cela ressemble ...

Et le brigadier Dambois désigna au commissaire un revolver que personne n'avait encore touché et qui se trouvait à cinquante centimètres de la main du mort.

—Vous le connaissez, Dambois?

—Non, monsieur le commissaire ... Et, pourtant, je ne sais pas pourquoi, cela m'a l'air de[12] quelqu'un du quartier.

—Voulez-vous vous assurer délicatement s'il a un portefeuille?

L'eau dégoulinait déjà sur le chapeau de Maigret. Le brigadier lui tendit un portefeuille assez usé qu'il venait de prendre dans le veston du mort. Une des pochettes contenait six billets de cent francs et une photographie de femme.* Dans une autre, il y avait une carte d'identité au nom de Michel Goldfinger, trente-huit ans, courtier en diamants, 66 *bis,* rue Lamarck.

La photographie de la carte d'identité était bien celle de l'homme qui était toujours étendu sur le trottoir, les jambes étrangement tordues.

Dans la dernière poche du portefeuille, celle qui fermait à l'aide d'une patte, Maigret trouva du papier de soie plié menu.

—Vous voulez m'éclairer avec votre torche électrique, Dambois?

Avec précaution, il défit le paquet, et une dizaine de petites pierres brillantes, des diamants non montés, scintillèrent dans la lumière.

[11] **à bout portant** point-blank
[12] **cela m'a l'air de** he looks to me like
* **une photographie de femme** (*see* **exercise 14)**

—On ne pourra pas dire que le vol est le mobile du crime! grogna le brigadier, ou que la misère est le motif du suicide ... Qu'est-ce que vous en pensez, patron?

—Vous avez fait questionner les voisins?

—L'inspecteur Lognon est en train de s'en occuper ...

De trois en trois minutes, un autobus dégringolait la pente. De trois en trois minutes, un autobus, dans l'autre sens, la gravissait en changeant ses vitesses.[13] Deux fois, trois fois, Maigret leva la tête, parce que les moteurs avaient des ratés.[14]

—C'est curieux ... murmura-t-il pour lui-même.

—Qu'est-ce qui est curieux?

—Que, dans n'importe quelle autre rue, nous aurions sans doute eu des renseignements sur le coup de feu ... Vous verrez que Lognon n'obtiendra rien des voisins, à cause de la pente qui provoque des explosions dans les carburateurs ...

Il ne se trompait pas. Lognon, que ses collègues, parce qu'il était toujours d'une humeur de chien, appelaient l'inspecteur Malgracieux, s'approchait du brigadier.

—J'ai interrogé une vingtaine de personnes ... Ou bien les gens n'ont rien entendu—la plupart, à cette heure-ci, prennent la T. S. F., surtout qu'il y avait une émission de gala au Poste Parisien—ou bien on me répond qu'il y a toute la journée des bruits de ce genre ... Ils y sont habitués ... Il n'y a qu'une vieille femme, au sixième de la deuxième maison à droite, qui prétend qu'elle a entendu deux détonations ... Seulement, j'ai dû lui répéter * plusieurs fois ma question, car elle est sourde comme un pot ... Sa concierge me l'a confirmé ...

Maigret glissa le portefeuille dans sa poche.

—Faites photographier le corps ... dit-il à Dambois. Quand les photographes auront terminé, vous le transporterez à l'Institut médico-légal et vous demanderez au Dr Paul de pratiquer l'autopsie ... Quant au revolver, dès qu'on aura relevé les empreintes, vous l'enverrez chez l'expert Gastinne-Renette.

L'inspecteur Lognon, qui avait peut-être vu dans cette affaire une occasion de se distinguer, regardait farouchement le trottoir,

[13] **en changeant ses vitesses** shifting gears
[14] **avaient des ratés** were backfiring
* **j'ai dû lui répéter** (*see* **exercise 10**)

les mains dans les poches, de la pluie sur son visage renfrogné.

—Vous venez avec moi, Lognon? Étant donné que cela s'est produit dans votre secteur ...

Et ils s'éloignèrent tous les deux. Ils suivirent le trottoir de droite de la rue Lamarck. Celle-ci était déserte, et on ne voyait que les lumières de deux petits cafés sur toute la longueur de la rue.

—Je vous demande pardon, mon vieux, de m'occuper d'une affaire qui ne me regarde pas, mais il y a quelque chose qui me tracasse ... Je ne sais pas encore quoi au juste ... Quelque chose ne tourne pas rond,[15] comprenez-vous? ... Il reste bien entendu que c'est vous qui faites officiellement l'enquête.

Mais Lognon méritait trop son surnom d'inspecteur Malgracieux pour répondre aux avances du commissaire.

—Je ne sais pas si vous comprenez ... Qu'un type comme Stan le Tueur, qui savait que la nuit ne se passerait pas sans qu'il fût arrêté, qui, en outre, depuis plus d'un mois, me sentait sur ses talons ...

C'était bien dans le caractère du Stan de se défendre jusqu'au bout comme un fauve qu'il était et de préférer une balle dans la tête à la guillotine. Il n'avait pas voulu s'en aller tout seul, et, par une dernière bravade, dans un dernier sursaut de haine contre la société, il avait descendu les deux inspecteurs qui le guettaient.

Tout cela, c'était dans la ligne.[16] Même le coup de téléphone à Maigret, qui était devenu son ennemi intime, cette ultime injure, ce suprême défi ...

Or, de ce coup de téléphone, la presse n'avait jamais parlé. Quelques collègues de Maigret, seuls, étaient au courant.

Et les mots hurlés ce soir dans l'appareil de Police-Secours ne cadraient pas avec le peu qu'on savait maintenant du courtier en diamants.

Autant qu'un rapide examen permettait d'en juger, c'était un homme sans envergure, un gagne-petit, voire, le commissaire l'aurait juré, un mal-portant, un malchanceux. Car le commerce des diamants, comme les autres, a ses seigneurs et ses pauvres.

Maigret connaissait le centre de ce commerce, un grand café

[15] **quelque chose ne tourne pas rond** something's fishy
[16] **dans la ligne** in character

de la rue Lafayette, où messieurs les gros courtiers, assis à leur table, voyaient venir à eux les modestes revendeurs à qui ils confiaient quelques pierres.

—C'est ici ... dit Lognon, en s'arrêtant devant une maison pareille à toutes les maisons de la rue, un immeuble déjà vieux, de six étages, où on voyait de la lumière à quelques fenêtres.

Ils sonnèrent. La porte s'ouvrit, et ils virent que la loge de la concierge [17] était encore éclairée. Une musique qui provenait de la radio, filtrait de la pièce à porte vitrée, où on apercevait un lit, une femme d'un certain âge occupée à tricoter et un homme en pantoufles de tapisserie, sans faux col, la chemise ouverte sur une poitrine velue, qui lisait son journal.

—Pardon, madame ... Est-ce que M. Goldfinger est ici?

—Tu ne l'as pas vu rentrer, Désiré? ... Non ... D'ailleurs, il y a à peine une demi-heure qu'il est sorti ...

—Seul?

—Oui ... J'ai supposé qu'il allait faire une course dans le quartier, peut-être acheter des cigarettes ...

—Il sort souvent le soir?

—Presque jamais ... Ou, alors, c'est pour aller au cinéma avec sa femme et sa belle-sœur ...

—Elles sont là-haut?

—Oui ... Elles ne sont pas sorties ce soir ... Vous voulez les voir ... ? C'est au troisième à droite ...

Il n'y avait pas d'ascenseur * dans l'immeuble. Un tapis sombre escaladait les marches, et il y avait une ampoule électrique sur le palier de chaque étage, deux portes brunes, une à gauche et une à droite. La maison était propre, confortable, mais sans luxe. Les murs, peints en faux marbre, auraient eu besoin d'une bonne couche de peinture, car ils tournaient au beige, sinon au brun.

De la radio, encore ... Le même air qu'on entendait partout ce soir-là, le fameux gala du Poste Parisien ... On le retrouvait

[17] **la loge de la concierge** the concierge's apartment. *The concierge, usually a woman, is a combination of superintendent, watchman, doorkeeper, mail sorter, etc., found in most Parisian apartment houses, especially those of the older type. Her "loge" is strategically situated between the street door and the stairway leading to the apartments.*

* **pas d'ascenseur** (*see* **exercise 17**)

sur le palier du troisième ...

—Je sonne? questionnait Lognon.

On entendit un timbre qui résonnait de l'autre côté de la porte, le bruit d'une chaise que quelqu'un repousse pour se lever, une voix jeune qui lançait:

—Je viens ...

Un pas rapide, léger. Le bouton de la porte tournait, l'huis[18] s'ouvrit, la voix disait:

—Tu n'es pas ...

Et on devinait que la phrase devait être: *

« Tu n'es pas resté longtemps ... »

Mais la personne qui ouvrait la porte s'arrêtait net devant les deux hommes qu'elle ne connaissait pas et elle balbutiait:

—Je vous demande pardon ... Je croyais que c'était ...

Elle était jeune, jolie, vêtue de noir, comme en deuil, avec des yeux clairs, des cheveux blonds.

—Madame Goldfinger?

—Non, monsieur ... M. Goldfinger est mon beau-frère ...

Elle restait un peu interdite, et elle ne pensait pas à inviter les visiteurs à entrer. Il y avait de l'inquiétude dans son regard.

—Vous permettez? ... fit Maigret, en s'avançant.

Et une autre voix, moins jeune, comme un peu lasse, lançait du fond de l'appartement:

—Qu'est-ce que c'est, Éva?

—Je ne sais pas ...

Les deux hommes étaient entrés dans une antichambre minuscule. A gauche, au delà d'une porte vitrée, on apercevait, dans le clair-obscur, un petit salon où on ne devait pas souvent mettre les pieds, s'il fallait en juger par l'ordre parfait qui y régnait et par le piano droit couvert de photographies et de bibelots.

La seconde pièce était éclairée, et c'était là que la radio jouait en sourdine.[19]

Avant que le commissaire et l'inspecteur l'eussent atteinte, la jeune fille s'était précipitée, en disant:

[18] **l'huis = la porte**
[19] **en sourdine** softly
* **la phrase devait être** (*see* **exercise 11**)

—Vous permettez que je ferme la porte de la chambre? ... Ma sœur n'était pas bien ce soir, elle est déjà couchée ...

Et sans doute la porte, entre la chambre et la salle à manger qui servait de *living-room*, était-elle grande ouverte? Il y eut quelques chuchotements. Mme Goldfinger questionnait, probablement:

—Qui est-ce?

Et Éva, à voix basse:

—Je ne sais pas ... Ils n'ont rien dit ...

—Laisse la porte entrouverte, que j'entende ...

Le calme régnait ici comme dans la plupart des appartements du quartier, comme derrière toutes ces fenêtres éclairées que les deux hommes avaient aperçues, un calme lourd, un peu sirupeux, le calme des intérieurs où il ne se passe rien,[20] où on n'imagine pas que quelque chose puisse se passer un jour.

—Je vous demande pardon ... Si vous voulez vous donner la peine d'entrer ...

La salle à manger était garnie de meubles rustiques comme les grands magasins d'ameublement en vendent par milliers, avec la même jardinière en cuivre sur le dressoir, les mêmes assiettes historiées,[21] sur un fond de cretonne à carreaux rouges,* dans le vaisselier.

—Asseyez-vous ... Attendez ...

Il y avait, sur trois chaises, des morceaux de tissu, des patrons de couturière en gros papier brun, des ciseaux sur la table, un magazine de modes et un autre morceau de tissu qu'on était en train de tailler quand la sonnerie avait retenti.

La jeune fille tournait le bouton de la radio, et le silence devenait soudain absolu.

Lognon, plus renfrogné, que jamais, regardait le bout de ses souliers mouillés. Maigret, lui, jouait avec sa pipe qu'il avait laissée s'éteindre.

—Il y a longtemps que votre beau-frère est sorti?

On voyait, au mur, un carillon Westminster, au cadran duquel la jeune fille jeta un coup d'œil machinal.

[20] **il ne se passe rien** nothing ever happens

[21] **assiettes historiées** plates decorated with "genre" scenes

* **cretonne à carreaux rouges** (*see* **exercise 1**)

—Un peu avant dix heures ... Peut-être dix heures moins dix? ... Il avait un rendez-vous à dix heures dans le quartier ...

—Vous ne savez pas où?

On remuait dans la chambre voisine plongée dans l'obscurité, et dont la porte restait entrebâillée.

—Dans un café, sans doute, mais je ne sais pas lequel ... Tout près d'ici, sûrement, puisqu'il a annoncé qu'il serait rentré avant onze heures ...

—Un rendez-vous d'affaires?

—Certainement ... Quel autre rendez-vous pourrait-il avoir?

Et il sembla à Maigret qu'une légère rougeur montait aux joues de la jeune fille. Depuis quelques instants, d'ailleurs, à mesure qu'elle observait les deux hommes, elle était en proie à un malaise grandissant. Son regard contenait une interrogation muette. En même temps, on eût dit qu'elle avait peur de savoir.

—Vous connaissez mon beau-frère?

—C'est-à-dire ... Un peu ... Il lui arrivait souvent d'avoir des rendez-vous le soir?

—Non ... Rarement ... On pourrait dire jamais ...

—On lui a sans doute téléphoné?

Car Maigret venait d'apercevoir un appareil téléphonique sur un guéridon.

—Non ... C'est à table, en dînant, qu'il a annoncé qu'il avait une course à faire à dix heures ...

La voix devenait anxieuse. Et un léger bruit, dans la chambre, révélait que Mme Goldfinger venait de quitter son lit, pieds nus, et qu'elle devait se tenir debout derrière la porte pour mieux entendre.

—Votre beau-frère était bien portant?

—Oui ... C'est-à-dire qu'il n'a jamais eu beaucoup de santé ... Surtout, il se frappait ... Il avait un ulcère à l'estomac, et le médecin était sûr de le guérir; mais lui était persuadé que c'était un cancer.

Du bruit. Un frôlement plutôt, et Maigret leva la tête, sûr que Mme Goldfinger allait apparaître. Il la vit dans l'encadrement de la porte, enveloppée d'un peignoir de flanelle bleue, le regard dur et fixe:

—Qu'est-il arrivé à mon mari? questionna-t-elle. Qui êtes-vous?

Les deux hommes se levèrent en même temps.

—Je vous demande pardon, madame, de faire ainsi irruption[22] dans votre intimité. Votre sœur m'a annoncé que vous n'étiez pas bien ce soir ...

—Cela n'a pas d'importance ...

—J'ai, malheureusement, une mauvaise nouvelle à vous annoncer ...

—Mon mari? questionna-t-elle du bout des lèvres.

Mais c'était la jeune fille que Maigret regardait, et il la vit ouvrir la bouche * pour un cri qu'elle n'articula pas. Elle restait là, hagarde, les yeux écarquillés.

—Votre mari, oui ... Il lui est arrivé un accident.

—Un accident? questionnait l'épouse, dure et méfiante.

—Madame, je suis désolé d'avoir à vous apprendre que M. Goldfinger est mort ...

Elle ne bougea pas. Elle restait là, debout, à les fixer de ses yeux sombres. Car, si sa sœur était une blonde aux yeux bleus, Mathilde Goldfinger, elle, était une brune assez grasse, aux yeux presque noirs, aux sourcils très dessinés.

—Comment est-il mort?

La jeune fille, qui s'était jetée contre le mur, les mains en avant, la tête dans les bras, sanglotait silencieusement.

—Avant de vous répondre, il est de mon devoir de vous poser une question. Votre mari, à votre connaissance, avait-il des raisons de se suicider? Est-ce que l'état de ses affaires, par exemple ...

Mme Goldfinger épongea d'un mouchoir ses lèvres moites, puis se passa les mains sur les tempes en relevant ses cheveux d'un geste machinal:

—Je ne sais pas ... Je ne comprends pas ... Ce que vous me dites est tellement ...

Alors, la jeune fille, au moment où on s'y attendait le moins,† se retourna d'une détente brusque, montra un visage congestionné, laqué par les larmes, des yeux où il y avait du courroux, peut-être de la rage, et cria avec une énergie inattendue:

[22] **de faire ... irruption dans** for breaking in on
* **ouvrir la bouche** (*see* **exercise 21**)
† **où on s'y attendait le moins** (*see* **exercise 4**)

—Jamais Michel ne se serait suicidé, si c'est cela que vous voulez dire! ...

—Calme-toi, Éva ... Vous permettez, messieurs?

Et Mme Goldfinger s'assit, s'accouda d'un bras à la table rustique:

—Où est-il? ... Répondez-moi ... Dites-moi comment cela est arrivé ...

—Votre mari est mort, d'une balle dans la tête, à dix heures et quart exactement, devant la borne de Police-Secours du coin de la rue Caulaincourt.

Un sanglot rauque, douloureux. C'était Éva. Quant à Mme Goldfinger, elle était blême, les traits figés, et elle continuait à fixer le commissaire comme sans le voir:

—Où est-il à présent?

—Son corps a été transporté à l'Institut médico-légal, où vous pourrez le voir dès demain matin.

—Tu entends, Mathilde? hurla la jeune fille.

Les mots, pour elle, faisaient image. Avait-elle compris qu'on allait pratiquer l'autopsie, que le corps prendrait place ensuite dans un des nombreux tiroirs de cet immense frigorifique à cadavres que constitue l'Institut médico-légal?

—Et tu ne dis rien? ... Tu ne protestes pas? ...

La veuve haussa imperceptiblement les épaules, répéta d'une voix lasse:

—Je ne comprends pas ...

—Remarquez, madame, que je n'affirme pas que votre mari s'est suicidé ...

Cette fois, ce fut Lognon qui eut comme un haut-le-corps [23] et qui regarda le commissaire avec stupeur. Mme Goldfinger, elle, fronça les sourcils et murmura:

—Je ne comprends pas ... Tout à l'heure, vous avez dit ...

—Que cela ressemblait à un suicide ... Mais il y a parfois des crimes qui ressemblent à des suicides ... Votre mari avait-il des ennemis? ...

—Non!

Un non énergique. Pourquoi les deux femmes, ensuite, échangeaient-elles un bref regard?

[23] **qui eut comme un haut-le-corps** who gave a kind of start

—Avait-il des raisons pour attenter à ses jours?

—Je ne sais pas ... Je ne sais plus ... Il faut m'excuser, messieurs ... Je suis moi-même mal portante aujourd'hui ... Mon mari était malade, ma sœur vous l'a dit ... Il se croyait plus malade qu'il n'était réellement ... Il souffrait beaucoup ... Le régime très strict qu'il devait suivre l'affaiblissait ... Il avait, en outre, des soucis, ces derniers temps ...

—A cause de ses affaires?

—Vous savez sans doute qu'il y a une crise, depuis près de deux ans, dans le commerce du diamant ... Les gros peuvent tenir le coup ... Ceux qui n'ont pas de capitaux et qui vivent pour ainsi dire au jour le jour ...

—Est-ce que, ce soir, votre mari avait des pierres sur lui?

—Sans doute ... Il en avait toujours ...

—Dans son portefeuille?

—C'est là qu'il les mettait, d'habitude ... Cela ne prend pas beaucoup de place, n'est-ce pas?

—Ces diamants lui appartenaient?

—C'est peu probable ... Il en achetait rarement pour son compte, surtout les derniers temps ... On les lui confiait à la commission ...

C'était vraisemblable. Maigret connaissait assez le petit monde qui évolue dans les environs de la rue Lafayette et qui, tout comme le « milieu », a ses lois à lui. On voit, autour des tables, des pierres qui représentent des fortunes, passer de main en main sans que le moindre reçu soit échangé. Tout le monde se connaît. Tout le monde sait que, dans la confrérie, nul n'oserait manquer à sa parole.

—On lui a volé les diamants?

—Non, madame ... Les voilà ... Voici son portefeuille. Je voudrais vous poser encore une question. Votre mari vous mettait-il au courant de * toutes ses affaires?

—De toutes ...

Un tressaillement d'Éva. Cela signifiait-il que sa sœur ne disait pas la vérité?

—Votre mari, à votre connaissance, avait-il, pour les jours qui viennent, de grosses échéances?

*** votre mari vous mettait-il au courant de** (*see* **exercise 15**)

—On devait présenter, demain, une traite de trente mille francs.

—Il disposait de l'argent?

—Je ne sais pas ... C'est justement pour cela qu'il est sorti ce soir ... Il avait rendez-vous avec un client dont il espérait tirer cette somme ...

—Et s'il ne l'avait pas obtenue?

—La traite aurait sans doute été protestée ...

—C'est déjà arrivé?

—Non ... Il trouvait toujours l'argent au dernier moment ...

Lognon soupira, lugubre, en homme qui juge qu'on perd son temps.

—De sorte que, si la personne que votre mari devait rencontrer ce soir ne lui avait pas remis la somme, Goldfinger, demain, aurait été en protêt [24] ... Ce qui signifie qu'il aurait été rayé automatiquement du milieu des courtiers en diamants, n'est-ce pas? ... Si je ne m'abuse, ces messieurs sont sévères pour ces sortes d'accident? ...

—Mon Dieu! Qu'est-ce que vous voulez que je vous dise?

C'était elle que Maigret regardait, du moins en apparence, mais, en réalité, depuis quelques minutes, c'était la petite belle-sœur en deuil qu'il observait sans cesse à la dérobée.[25]

Elle ne pleurait plus. Elle avait repris son sang-froid. Et le commissaire était étonné de lui voir [26] un regard aigu, des traits si nets et si énergiques. Ce n'était plus une petite jeune fille en larmes, mais, malgré son âge, une femme qui écoute, qui observe, qui soupçonne.

Car il n'y avait pas à s'y tromper. Un détail avait dû la frapper dans les paroles échangées, et elle tendait l'oreille, ne laissait rien perdre de ce qui se disait autour d'elle.

—Vous êtes en deuil? questionna-t-il.

Il s'était tourné vers Éva, mais c'est Mathilde qui répondit:

—Nous sommes en deuil, toutes les deux, de ma mère, qui est morte voilà six mois ... C'est depuis lors que ma sœur vit avec nous ...

[24] **en protêt** under censure for nonpayment
[25] **à la dérobée** surreptitiously
[26] **de lui voir** to see that she had (*lit.*, to see in her)

—Vous travaillez? demanda encore Maigret à Éva.

Et, une fois de plus, ce fut la sœur qui répondit:

—Elle est dactylographe dans une compagnie d'assurances, boulevard Haussmann.

—Une dernière question ... Croyez que je suis confus ... Est-ce que votre mari possédait un revolver?

—Il en avait un, oui ... Mais il ne le portait pour ainsi dire jamais ... Il doit encore être dans le tiroir de sa table de nuit.

—Voulez-vous être assez aimable pour vous en assurer? ...

Elle se leva, passa dans la chambre, où elle tourna le bouton électrique. On l'entendit ouvrir un tiroir, remuer des objets. Quand elle revint, elle avait le regard plus sombre.

—Il n'y est pas, dit-elle, sans se rasseoir.

—Y a-t-il longtemps que vous l'avez vu?

—Quelques jours au plus ... Je ne pourrais pas dire au juste ... Peut-être avant-hier, quand j'ai fait le grand nettoyage ...

Éva ouvrit la bouche, mais, malgré le regard encourageant du commissaire, elle se tut.

—Oui. Cela devait être avant-hier ...

—Ce soir, vous étiez couchée quand votre mari est rentré pour dîner?

—Je me suis couchée à deux heures de l'après-midi, car je me sentais lasse ...

—S'il avait ouvert le tiroir pour y prendre le revolver, vous en seriez-vous aperçue?

—Je crois que oui ...

—Ce tiroir contient-il des objets dont il aurait pu avoir besoin?

—Non ... Un médicament qu'il ne prenait que la nuit, quand il souffrait trop; de vieilles boîtes de pilules et une paire de lunettes dont un verre est cassé ...

—Vous étiez dans la chambre, ce matin, lorsqu'il s'est habillé?

—Oui ... Je faisais les lits ...

—De sorte que votre mari aurait dû prendre le revolver hier ou avant-hier au soir?

Encore un geste d'intervention d'Éva. Elle ouvrait la bouche. Non. Elle se taisait.

—Il ne me reste qu'à vous remercier, madame ... A propos, connaissez-vous la marque du revolver?

—Browning, calibre 6 ^{mm} 38. Vous devez en trouver le numéro dans le portefeuille de mon mari, car il était titulaire d'un port d'armes.[27]

Ce qui, en effet, était exact.

—Demain matin, si vous n'y voyez pas d'inconvénient, l'inspecteur Lognon, qui est chargé de[28] l'enquête, viendra vous prendre à l'heure que vous lui fixerez pour aller reconnaître le corps ...

—Quand il voudra ... Dès huit heures ...

—Compris, Lognon?

Ils se retiraient, retrouvaient le palier mal éclairé, le tapis sombre de l'escalier, les murs brunis. La porte s'était refermée, et on n'entendait aucun bruit dans l'appartement. Les deux femmes se taisaient. Pas un mot n'était échangé entre elles.

Dans la rue, Maigret leva la tête vers la fenêtre éclairée et murmura:

—Maintenant que nous ne pouvons plus entendre, je parierais que ça va barder,[29] là-haut.

Une ombre se profila sur le rideau. Bien que déformée, on reconnaissait la silhouette de la jeune fille qui traversait la salle à manger à pas pressés. Presque aussitôt, une autre fenêtre s'éclairait, et Maigret aurait parié qu'Éva venait de s'enfermer à double tour dans sa chambre, et que sa sœur essayait en vain de s'en faire ouvrir la porte.[30]

[27] **il était titulaire d'un port d'armes** he had a permit to carry firearms
[28] **chargé de** in charge of
[29] **ça va barder** all hell's going to break loose
[30] **s'en faire ouvrir la porte** get her to open the door for her

chapitre 2

Les Malchances et les susceptibilités de l'inspecteur Lognon

C'était une drôle de vie. Maigret prenait un air grognon, mais, en réalité, il n'aurait pas donné sa place, à ces moments-là, pour le meilleur fauteuil de l'Opéra. Était-il possible d'être davantage chez lui, dans les vastes locaux de la Police Judiciaire, qu'au beau milieu de la nuit? Tellement chez lui qu'il avait tombé la veste, retiré sa cravate et ouvert son col. Il avait même, après une hésitation, délacé ses souliers qui lui faisaient un peu mal.

En son absence, Scotland Yard avait téléphoné, et on avait passé la communication à son neveu Daniel, qui venait de lui en rendre compte.

L'escroc dont il s'occupait n'avait pas été signalé à Londres depuis plus de deux ans, mais, aux dernières nouvelles, il serait passé par la Hollande.

Maigret avait donc alerté Amsterdam. Il attendait maintenant des renseignements de la Sûreté néerlandaise. De temps en temps, il entrait en contact téléphonique avec ses inspecteurs qui surveillaient l'homme à la porte de son appartement du *Claridge* et dans le hall de l'hôtel.

Puis, la pipe aux dents, les cheveux hirsutes, il ouvrait la porte de son bureau et contemplait la longue perspective du couloir, où il n'y avait que deux lampes en veilleuse; et il avait l'air, alors, d'un brave banlieusard qui, le dimanche matin, se campe sur son seuil pour contempler son bout de jardin.

Tout au fond du couloir, le vieux garçon de bureau de nuit, Jérôme, qui était dans la maison depuis plus de trente ans et qui
5 avait les cheveux blancs comme neige, était assis devant sa petite table surmontée d'une lampe à abat-jour vert et, le nez chaussé de lunettes à monture d'acier, il lisait invariablement un gros traité de médecine, le même depuis des années. Il lisait comme les enfants, en remuant les lèvres, en épelant les syllabes.

10 Puis le commissaire faisait quelques pas, les mains dans les poches, entrait dans le bureau des inspecteurs, où les deux hommes de garde, en manche de chemise, eux aussi, jouaient aux cartes et fumaient des cigarettes.

Il allait, il venait. Derrière son bureau, dans un étroit cagibi,
15 il y avait un lit de camp sur lequel il lui arriva deux ou trois fois de s'étendre sans parvenir à s'assoupir. Il faisait chaud, malgré la pluie qui tombait de plus belle, car le soleil avait tapé dur sur les bureaux pendant toute la journée.

Une première fois, Maigret marcha jusqu'à son téléphone,
20 mais, à l'instant de décrocher, sa main s'arrêta. Il déambula encore, retourna chez les inspecteurs, suivit la partie de cartes pendant un bout de temps et revint une seconde fois jusqu'à l'appareil.

Il était comme un enfant qui ne peut pas se décider à
25 renoncer à une envie. Si encore Lognon avait été moins malchanceux! Lognon ou pas Lognon, Maigret avait le droit, bien entendu, de prendre en main l'affaire de la rue Lamarck, comme il brûlait du désir de le faire.

Non pas parce qu'il la jugeait particulièrement sensationnelle.
30 L'arrestation de l'escroc, par exemple, à laquelle il ne parvenait pas à s'intéresser, lui vaudrait davantage de renommée. Mais, il avait beau faire, il revoyait sans cesse * la borne de Police-Secours, dans la pluie, le petit courtier en diamants à la silhouette étriquée et malingre, puis les deux sœurs, dans leur appartement.

35 Comment dire? C'était une de ces affaires dont l'odeur lui plaisait, qu'il aurait aimé renifler à loisir jusqu'au moment où il en serait si bien imprégné que la vérité lui apparaîtrait d'elle-

*** il avait beau faire, il revoyait sans cesse** (*see* **exercise 5**)

même.

Et il tombait justement sur le pauvre Lognon, le meilleur des hommes, au fond, le plus consciencieux des inspecteurs, consciencieux au point d'en être imbuvable, Lognon sur qui la malchance s'acharnait avec tant d'insistance qu'il en était arrivé à avoir la hargne d'un chien galeux.

Chaque fois que Lognon s'était occupé d'une affaire, il avait eu des malheurs. Ou bien, au moment où il allait opérer une arrestation, on s'apercevait que le coupable avait de hautes protections [1] et qu'il fallait le laisser tranquille, ou bien l'inspecteur tombait malade et devait passer son dossier à un collègue, ou bien encore un juge d'instruction en mal d'avancement [2] prenait pour lui le bénéfice de la réussite.

Est-ce que Maigret, cette fois encore, allait lui ôter le pain de la bouche? Lognon, par-dessus le marché, habitait le quartier, place Constantin-Pecqueur, à cent cinquante mètres de la borne devant laquelle Goldfinger était mort, à trois cents mètres de l'appartement du courtier.

—C'est Amsterdam? ...

Maigret notait les renseignements qu'on lui transmettait. Comme, en quittant La Haye, l'escroc avait pris l'avion pour Bâle, le commissaire alertait ensuite la police suisse, mais c'était toujours au petit courtier, à sa femme et à sa belle-sœur qu'il pensait. Et, chaque fois qu'il se couchait sur son lit de camp et qu'il essayait de s'endormir, il les évoquait tous les trois avec une acuité accrue.

Alors il allait boire une gorgée de bière dans son bureau. Car, en arrivant, il avait fait monter trois demis [3] et une pile de sandwiches de la *Brasserie Dauphine*. Tiens! il y avait de la lumière sous une porte: celle du commissaire de la Section financière. Celui-là, on ne le dérangeait pas. C'était un monsieur raide comme un parapluie, toujours tiré à quatre épingles,[4] qui se contentait de saluer cérémonieusement ses collègues. S'il passait

[1] **de hautes protections** connections in high places
[2] **un juge d'instruction en mal d'avancement** an examining magistrate anxious for promotion
[3] **trois demis** three glasses (of beer)
[4] **tiré à quatre épingles** elegantly groomed

la nuit à la P. J., il y aurait du bruit à la Bourse le lendemain.

Au fait, on avait donné, le soir, un gala de centième au théâtre de la Madeleine, suivi d'un souper. Le Dr. Paul, le plus parisien des médecins, l'ami des vedettes, y était sûrement allé: 5 on ne l'attendait pas chez lui avant deux heures. Le temps de se changer—bien qu'il lui fût arrivé de se rendre en habit à la morgue,—et il devait être arrivé depuis un quart d'heure tout au plus à l'Institut médico-légal.

Maigret n'y tint plus,[5] décrocha.

10 —Donnez-moi l'Institut médico-légal, s'il vous plaît ... Allô! ... Ici, Maigret ... Voulez-vous demander au Dr Paul de venir un instant à l'appareil? ... Vous dites? ... Il ne peut pas se déranger? ... Il a commencé l'autopsie? ... Qui est à l'appareil? ... Le préparateur? ... Bonsoir, Jean ... Voulez-vous demander de ma part [6] 15 au docteur de bien vouloir analyser le contenu de l'estomac du mort ... Oui ... Soigneusement ... Je voudrais savoir, en particulier, s'il a ingurgité quelque chose: aliment ou boisson, depuis son repas du soir, qu'il a dû prendre vers sept heures et demie ... Merci ... Oui, qu'il m'appelle ici ... J'y serai toute la nuit ...

20 Il raccrocha, demanda la table d'écoute, au Central téléphonique.

—Allô! ... Ici, commissaire Maigret ... Je voudrais que vous enregistriez toutes les communications que l'on pourrait donner ou recevoir de l'appartement d'un certain Goldfinger, 66 *bis*, rue 25 Lamarck. Dès maintenant, oui ...

Tant pis si Lognon y avait pensé. D'ailleurs, il lui téléphonait aussi, à son domicile de la place Constantin-Pecqueur. Et on répondait aussitôt, ce qui indiquait que l'inspecteur n'était pas couché ...

30 —C'est vous, Lognon? ... Ici, Maigret ... Je vous demande pardon de vous déranger ...

C'était bien là l'inspecteur Malgracieux! Au lieu de dormir, il était déjà occupé à rédiger son rapport. Sa voix était inquiète, maussade:

35 —Je suppose, monsieur le commissaire, que vous me déchargez de l'affaire?

[5] **n'y tint plus** could stand it no longer
[6] **de ma part** for me

—Mais non, mon vieux! ... C'est vous qui l'avez commencée et vous la continuerez jusqu'au bout ... Je vous demanderai seulement, à titre purement personnel, de me tenir au courant ...

—Dois-je vous envoyer copie des rapports? *

C'était tout Lognon! [7]

—Ce n'est pas la peine ...

—Parce que je comptais les envoyer à mon chef direct,[8] le commissaire d'arrondissement ...

—Mais oui, mais oui ... A propos, j'ai pensé à † deux ou trois petites choses ... Je suis persuadé que vous y avez pensé aussi ... Par exemple, ne croyez-vous pas qu'il serait utile de faire surveiller la maison par deux inspecteurs? ... Si une des deux femmes sortait, ou si elles sortaient toutes les deux séparément, ils pourraient ainsi les suivre dans toutes leurs allées et venues ...

—J'avais déjà mis un homme en faction ... Je vais en envoyer un second ... Je suppose que, si on me fait le reproche de mobiliser trop de monde ...

—On ne vous adressera aucun reproche ... Avez-vous déjà des nouvelles de l'Identité judiciaire au sujet des empreintes sur le revolver?

Les locaux de l'Identité et les laboratoires se trouvaient juste au-dessus de la tête de Maigret, dans les combles du Palais de Justice, mais le commissaire ménageait jusqu'au bout la susceptibilité de l'inspecteur.

—Ils viennent de me téléphoner ... Il y a beaucoup d'empreintes, mais trop confuses pour nous être utiles ... Il semble que l'arme ait été essuyée, c'est difficile à affirmer, à cause de la pluie ...

—Vous avez fait envoyer le revolver à Gastinne-Renette?

—Oui. Il a promis d'être à son laboratoire dès huit heures et d'examiner l'arme aussitôt ...

Il y avait d'autres conseils que Maigret aurait voulu lui donner. Il brûlait de se plonger dans l'affaire jusqu'au cou. C'était un véritable supplice. Mais rien que d'entendre au bout du fil la

[7] **c'était tout Lognon** that was Lognon for you
[8] **mon chef direct** my immediate superior
* **dois-je ... rapports?** (*see* **exercise 10**)
† **j'ai pensé à** (*see* **exercise 18**)

voix lamentable de l'inspecteur Malgracieux lui faisait pitié.

—Allons ... Je vous laisse travailler ...

—Vous ne voulez vraiment pas prendre le dossier en main?

—Non, mon vieux ... Allez-y! ... Et bonne chance! ...

5 —Je vous remercie ...

La nuit se traîna ainsi, dans l'intimité chaude de ces vastes locaux que l'obscurité semblait rétrécir et où ils n'étaient que cinq à travailler ou à errer. Un coup de téléphone, de temps en temps. Bâle qui rappelait. Puis le *Claridge*.

10 —Écoutez, mes enfants, s'il dort, laissez-le dormir ... Quand il sonnera pour son petit déjeuner seulement,[9] pénétrez dans sa chambre, gentiment, et demandez-lui de venir faire un tour au quai des Orfèvres ... Surtout, pas d'esclandre ... Le directeur du *Claridge* n'aime pas ça ...

15 Il rentra chez lui à huit heures, et il pensait tout le long du chemin qu'au même moment ce sacré Lognon embarquait Mathilde et Éva dans un taxi, rue Lamarck, pour les conduire à l'Institut médico-légal.

Le ménage était déjà fait, boulevard Richard-Lenoir. Mme 20 Maigret était toute fraîche, et le petit déjeuner attendait sur la table.

—Le Dr Paul vient de t'appeler.

—Il y a mis le temps ...[10]

L'estomac de l'infortuné Goldfinger ne contenait que des 25 aliments plus qu'à moitié digérés, de la soupe aux légumes, des pâtes et du jambon blanc. Depuis huit heures du soir, le courtier en diamants n'avait rien ingéré.

—Pas même un verre d'eau minérale? insista Maigret.

—En tout cas, pas pendant la demi-heure qui a précédé 30 la mort ...

—Avez-vous remarqué un ulcère à l'estomac?

—Au duodénum, plus exactement ...

—Pas de cancer?

—Sûrement pas ...

35 —De sorte qu'il pouvait encore vivre longtemps?

—Très longtemps. Et même guérir ...

[9] **seulement** *place at the beginning of the sentence and translate as* **but**

[10] **Il y a mis le temps** he took his time about it

—Je vous remercie, docteur ... Soyez assez gentil pour envoyer votre rapport à l'inspecteur Lognon ... Comment? ... Oui, l'inspecteur Malgracieux ... Bonne journée! ...[11]

Et Mme Maigret d'intervenir,[12] en voyant son mari se diriger vers la salle de bains: 5

—Tu vas te coucher, j'espère?

—Je ne sais pas encore ... J'ai un peu dormi,* cette nuit ...

Il prit un bain, suivi d'une douche glacée, mangea de bon appétit en regardant la pluie qui tombait toujours comme un matin de Toussaint. A neuf heures, il avait le célèbre armurier au 10 bout du fil.

—Allô! ... Dites-moi, Maigret, il y a un détail qui me chiffonne dans cette histoire ... Il s'agit de gangsters, n'est-ce pas?

—Pourquoi dites-vous ça?

—Voilà ... C'est bien le revolver qui m'a été remis pour ex- 15 pertise qui a tiré la balle retrouvée dans la boîte crânienne du mort ...

Maigret cita le numéro de l'arme, qui correspondait au numéro du browning appartenant à Goldfinger. L'expert, lui, ne savait rien des circonstances du drame. Il jugeait sur pièces,[13] 20 uniquement.

—Qu'est-ce qui vous chiffonne?

—En examinant le canon du revolver, j'ai remarqué de petites stries luisantes extérieurement, à l'extrémité du canon. J'ai fait l'expérience sur d'autres armes du même calibre ... Or j'ai obtenu 25 un résultat identique en adaptant sur le canon un silencieux de modèle américain.

—Vous êtes sûr de cela?

—J'affirme qu'il n'y a pas très longtemps, deux jours au maximum, probablement moins, car les stries se seraient ternies, 30 un silencieux a été adapté sur le revolver qui m'a été soumis.

—Voulez-vous avoir l'obligeance d'envoyer le rapport écrit à l'inspecteur Lognon, qui a la direction de l'enquête?

Et Gastinne-Renette, tout comme le Dr Paul l'avait fait, de

[11] **bonne journée** have a good day

[12] **et Mme Maigret d'intervenir** Mme Maigret interjected

[13] **sur pièces** on concrete evidence

* **J'ai un peu dormi** (*see* **exercise 22**)

s'exclamer: [14]

—L'inspecteur Malgracieux?

Mme Maigret soupirait:

—Tu t'en vas? ... Prends au moins ton parapluie ...

Il s'en allait, oui, mais il n'allait pas où il avait envie d'aller, à cause de cet animal d'inspecteur et de sa malchance. S'il s'était écouté, il se serait fait conduire en taxi au coin de la rue Caulaincourt et de la rue Lamarck. Pour quoi faire? Rien de bien précis. Pour reprendre l'air de la rue, pour fureter dans les coins, entrer dans les bistrots du quartier, écouter les gens qui, depuis la mise en vente des journaux du matin, étaient au courant.

Goldfinger avait annoncé, en partant de chez lui, qu'il avait un rendez-vous dans le quartier. S'il s'était suicidé, le rendez-vous pouvait être imaginaire. Mais alors, que venait faire ce silencieux? [15] Comment concilier cet appareil, d'usage au surplus peu courant et difficile à trouver, avec la détonation qui avait ébranlé l'appareil de Police-Secours?

Si le courtier avait vraiment un rendez-vous ... Généralement, les rendez-vous ne se donnent pas dans la rue, surtout à dix heures du soir, par une pluie battante. Plutôt dans un café, dans un bar ... Or le courtier en diamants n'avait rien ingurgité, pas même un verre d'eau, passé le moment où il était sorti de chez lui.

Maigret aurait aimé refaire le chemin qu'il avait fait, s'arrêter devant la borne de Police-Secours.

Non! Il y avait quelque chose qui ne tournait pas rond,[16] il le sentait depuis le début. Un homme comme Stan le Tueur peut avoir l'idée d'injurier la police, de la défier une dernière fois avant de se faire sauter le caisson.[17] Pas un petit serre-fesses [18] comme Goldfinger!

Maigret avait pris l'autobus, et il restait debout sur la plateforme, à contempler vaguement le Paris matinal, les poubelles dans les hachures de pluie, tout un petit peuple gravitant comme des fourmis en direction des bureaux et des magasins.

[14] **et Gastinne-Renette ... de s'exclamer** *see n. 12, p. 33*
[15] **que venait faire ce silencieux?** how come that silencer?
[16] **il y avait quelque chose qui ne tournait pas rond** *see. n. 15, p. 16*
[17] **avant de se faire sauter le caisson** before blowing his brains out
[18] **serre-fesses** timid soul

... Deux hommes, à six mois de distance, n'ont pas la même inspiration ... Surtout quand il s'agit d *'une idée aussi baroque que celle qui consiste à alerter la police pour la faire en quelque sorte assister de loin à son propre suicide ...

... On *imite* ... On ne *réinvente* pas ... C'est si vrai que si un homme, par exemple, se donne la mort en se jetant du troisième étage de la Tour Eiffel et si les journaux ont l'imprudence d'en parler, on aura une épidémie de suicides identiques; quinze, vingt personnes, dans les mois qui suivent, se jetteront du haut de la Tour ...

Or on n'avait jamais parlé des derniers moments de Stan ... sauf à la P. J. ... C'était cela qui, depuis le début, depuis qu'il avait quitté Daniel pour se rendre rue Caulaincourt, tracassait Maigret.

—On vous a demandé [19] du *Claridge,* monsieur le commissaire ...

Ses deux inspecteurs ... L'escroc, qu'on appelait le Commodore, venait de sonner pour réclamer son petit déjeuner.

—On y va, patron?

—Allez-y, mes enfants ...

Il envoyait son escroc international à tous les diables et y envoyait mentalement Lognon par surcroît.

—Allô! ... C'est vous, monsieur le commissaire? ... Ici, Lognon ...

Parbleu! Comme s'il n'avait pas reconnu la voix lugubre de l'inspecteur Malgracieux!

—Je reviens de l'Institut médico-légal ... Mme Goldfinger n'a pas pu nous accompagner ...

—Hein?

—Elle était, ce matin, dans un tel état de prostration nerveuse qu'elle m'a demandé la permission de rester au lit ... Son médecin était à son chevet quand je suis arrivé ... C'est un médecin du quartier, le Dr Langevin ... Il m'a confirmé que sa patiente avait passé une très mauvaise nuit, bien qu'elle eût usé un peu trop largement de somnifère ...

—C'est la jeune sœur qui vous a accompagné?

[19] **on vous a demandé** you had a phone call
* **quand il s'agit de** (*see* **exercise 2**)

—Oui ... Elle a reconnu le cadavre ... Elle n'a pas prononcé un mot tout le long du chemin ... Elle n'est plus tout à fait la même qu'hier ... Elle a un petit air dur et décidé qui m'a frappé ...

—Elle a pleuré?

5 —Non ... Elle est restée très raide devant le corps ...

—Où est-elle en ce moment?

—Je l'ai reconduite chez elle ... Elle a eu un entretien avec sa sœur, puis elle est ressortie pour aller à la maison de Borniol afin de s'occuper des obsèques ...

10 —Vous avez mis un agent derrière elle?

—Oui ... Un autre est resté à la porte ... Personne n'est sorti pendant la nuit ... Il n'y a pas eu d'appels téléphoniques ...

—Vous aviez alerté la table d'écoute?

—Oui ...

15 Et Lognon, après une hésitation, prononça, comme un homme qui avale sa salive avant de dire une chose déplaisante:

—Un sténographe prend note du rapport verbal que je vous fais en ce moment et dont je vous enverrai copie par messager avant midi, ainsi qu'à mon chef hiérarchique, afin que tout soit 20 régulier ...

Maigret grommela pour lui-même:

—Va au diable!

Ce formalisme administratif, c'était tout Lognon,[20] tellement habitué à voir ses meilleurs initiatives se retourner contre lui 25 qu'il en arrivait à se rendre insupportable par ses précautions ridicules.

—Où êtes-vous, mon vieux?

—Chez *Manière* ...

Une brasserie de la rue Caulaincourt, non loin de l'endroit 30 où Goldfinger était mort.

—Je viens de faire tous les bistrots du quartier ... J'ai montré la photo du courtier, celle qui est sur la carte d'identité ... Elle est récente, car la carte a été renouvelée il y a moins d'un an ... Personne n'a vu Goldfinger hier soir vers dix heures ... D'ailleurs, 35 on ne le connaît pas, sauf dans un petit bar tenu par un Auvergnat,[21] à cinquante mètres de chez lui, où il allait souvent télé-

[20] **c'était tout Lognon** was typical of Lognon

[21] **Auvergnat** *man from the Auvergne, a region of south central France*

phoner avant qu'on installe le téléphone chez lui, il y a deux ans ...

—Le mariage remonte à ...

—Huit ans ... Maintenant, je me rends rue Lafayette ... S'il y a eu rendez-vous, c'est presque sûrement là qu'il a été pris ... Comme tout le monde se connaît dans le milieu des courtiers en diamants ...

Maigret était vexé comme une punaise [22] de ne pouvoir faire tout ça lui-même, se frotter aux gens qui avaient connu Goldfinger, compléter peu à peu, par petites touches, l'image qu'il se faisait de celui-ci.

—Allez-y, vieux ... Tenez-moi au courant ...

—Vous allez recevoir le rapport ...

Mais cette pluie, qui tombait maintenant toute fine, avec l'air de ne jamais vouloir s'arrêter, lui donnait envie d'être dehors. Et il était forcé de s'occuper d'un personnage aussi banal qu'un escroc international spécialisé dans le lavage des chèques et des titres au porteur,[23] un monsieur qui allait le prendre de haut [24] pendant un temps plus ou moins long et qui finirait par manger le morceau.[25]

On le lui amenait justement. C'était un bel homme d'une cinquantaine d'années, l'air aussi distingué que le plus racé des clubmen, qui feignait l'étonnement.

—Vous vous mettez à table?

—Pardon? disait l'autre en jouant avec son monocle. Je ne comprends pas. Il doit y avoir erreur sur la personne ...

—Chante, fifi ...[26]

—Vous dites?

—Je dis: *chante, fifi!* ... Écoutez, je n'ai pas la patience, aujourd'hui, de passer des heures à vous mijoter un interrogatoire à la chansonnette [27]... Vous voyez ce bureau, n'est-ce pas? ... Dites-vous que vous n'en sortirez que quand vous aurez mangé

[22] **vexé comme une punaise** mad as a hornet (*lit.*, vexed as a bedbug)
[23] **le lavage des chèques ... au porteur** passing (bad) checks and bearer bonds
[24] **le prendre de haut** brazen it out
[25] **manger le morceau** (*slang*) confess
[26] **chante, fifi** sing, birdy
[27] **mijoter ... chansonnette** carry on a long, drawn-out examination

le morceau ... Janvier! ... Lucas! ... Retirez-lui sa cravate et ses lacets de souliers ... Passez-lui les menottes ... Surveillez-le et empêchez-le de bouger d'une patte ...[28] A tout à l'heure, mes enfants ...

5 Tant pis pour Lognon qui avait la chance, lui, de prendre le vent rue Lafayette. Il sauta dans un taxi.

—Rue Caulaincourt. Je vous arrêterai ...

Et cela lui faisait déjà plaisir de retrouver la rue où Goldfinger avait été tué, où il était mort, en tout cas, devant le poteau 10 peint en rouge de Police-Secours.

Il prit, à pied, la rue Lamarck, le col du veston relevé, car, en dépit de Mme Maigret et de ses recommandations maternelles, il avait laissé son parapluie quai des Orfèvres ...

A quelques pas du 66 *bis*, il reconnut un inspecteur qu'il lui 15 était arrivé de rencontrer et qui, bien que connaissant le fameux commissaire, crut discret de feindre de ne pas le voir.

—Viens ici ... Personne n'est sorti? ... Personne n'est monté au troisième étage? ...

—Personne, monsieur Maigret ... J'ai suivi dans l'escalier tous 20 ceux qui entraient ... Peu de monde ... Rien que des livreurs ...

—Mme Goldfinger est toujours couchée?

—Probablement ... Quant à la jeune sœur, elle est sortie et mon collègue Marsac est sur ses talons ...

—Elle a pris un taxi?

25 —Elle a attendu l'autobus au coin de la rue.

Maigret entra dans la maison, passa devant la loge[29] sans s'arrêter, monta au troisième étage et sonna à la porte de droite. Le timbre résonna. Il tendit l'oreille, la colla à la porte, mais n'entendit aucun bruit. Il sonna une seconde fois, une troisième. 30 Il annonça à mi-voix:

—Police! ...

Certes, il savait que Mme Goldfinger était couchée, mais elle n'était pas malade au point de ne pouvoir se lever et répondre, fût-ce à travers l'huis.[30]

35 Il descendit rapidement dans la loge.

[28] **bouger d'une patte** budge an inch
[29] **la loge = la loge de la concierge**
[30] **l'huis** *see n. 18, p. 18*

—Mme Goldfinger n'est pas sortie, n'est-ce pas?

—Non, monsieur ... Elle est malade ... Le docteur est venu ce matin ... Sa sœur, elle, est sortie ...

—Vous avez le téléphone?

—Non ... Vous en trouverez un chez l'Auvergnat, à quelques pas d'ici ...

Il s'y précipita, demanda le numéro de l'appartement, et la sonnerie d'appel résonna longuement dans le vide.

Le visage de Maigret, a ce moment, exprimait l'ahurissement le plus complet. Il demanda la table d'écoute.

—Vous n'avez eu aucun appel pour l'appartement de Goldfinger?

—Aucun ... Pas une seule communication depuis que vous nous avez alertés cette nuit ... A propos, l'inspecteur Lognon, lui aussi ...

—Je sais ...

Il était furieux. Ce silence ne correspondait à rien de ce qu'il avait imaginé. Il revint au 66 *bis*.

—Tu es sûr, demanda-t-il à l'inspecteur en faction, qu'il n'est monté personne [31] au troisième?

—Je vous le jure ... J'ai suivi tous ceux qui ont pénétré dans la maison ... J'en ai même fait une liste, comme l'inspecteur Lognon me l'avait recommandé ...

Toujours le Lognon tatillon!

—Viens avec moi ... S'il le faut, tu descendras chercher un serrurier ... On doit en trouver un dans le quartier ...

Ils gravirent les trois étages. Maigret sonna à nouveau. Silence, d'abord. Puis il lui sembla que quelqu'un s'agitait au fond de l'appartement. Il répéta:

—Police!

Et, une voix lointaine:

—Un instant ...

Un instant qui dura plus de trois minutes. Fallait-il [32] trois minutes pour passer un peignoir et des pantoufles, voire, à la rigueur, pour se rafraîchir le visage?

—C'est vous, monsieur le commissaire?

[31] **il n'est monté personne ... ?** nobody went up . . . ?
[32] **fallait-il ... ?** did it take . . . ?

—C'est moi ... Maigret ...

Le déclic d'un verrou que l'on tire, d'une clef dans la serrure.

—Je vous demande pardon ... Je vous ai fait attendre longtemps, n'est-ce pas?

5 Et lui, soupçonneux, agressif:

—Que voulez-vous dire?

S'aperçut-elle qu'elle venait de gaffer? Elle balbutia, d'une voix ensommeillée, trop ensommeillée au gré du commissaire:

—Je ne sais pas ... Je dormais ... J'avais pris une drogue pour 10 dormir ... Il me semble que, dans mon sommeil, j'ai entendu la sonnerie.

—Quelle sonnerie?

—Je ne pourrais pas vous dire ... Cela se mélangeait à mon rêve ... Entrez, je vous prie ... Je n'étais pas en état, ce matin, 15 d'accompagner votre inspecteur ... Mon médecin était ici ...

—Je sais ...

Et Maigret, qui avait refermé la porte, laissant le jeune agent sur le palier, regardait autour de lui d'un air maussade.*

Mathilde portait le même peignoir bleu que la veille au soir. 20 Elle lui disait:

—Vous permettez que je me recouche?

—Je vous en prie ...

Il y avait encore, sur la table de la salle à manger, une tasse qui contenait un peu de café au lait, du pain et du beurre, les 25 restes, sans doute, du petit déjeuner d'Éva. Dans la chambre en désordre, Mme Goldfinger se recouchait en poussant un soupir douloureux.

Qu'est-ce qu'il y avait qui n'allait pas? [33] Il remarqua que la jeune femme s'était couchée avec son peignoir. Cela pouvait évi- 30 demment être un signe de pudeur.

—Vous étiez sur le palier depuis longtemps?

—Non ...

—Vous n'avez pas téléphoné?

—Non ...

35 —C'est étrange ... Dans mon rêve, il y avait une sonnerie de téléphone qui n'arrêtait pas ...

[33] **qui n'allait pas** that was fishy
* **d'un air maussade** (*see* exercise 3)

—Vraiment?

Bon. Il se rendait compte, maintenant, de ce qui le choquait. Cette femme, qu'il était censé tirer du plus profond sommeil, d'un sommeil encore alourdi par un narcotique, cette femme qui, trois heures plus tôt, au dire de son médecin, souffrait de dé- 5 pression nerveuse, avait la coiffure aussi nette qu'une dame en visite.

Il y avait autre chose, un bas, un bas de soie qui dépassait un peu de dessous le lit. Fallait-il croire qu'il était là depuis la veille? Maigret laissa tomber sa pipe et se baissa pour la ramasser, 10 ce qui lui permit de voir que, sous le lit, *il n'y avait pas de second bas.*

—Vous m'apportez des nouvelles?

—Tout au plus viens-je vous poser quelques questions ... Un instant ... Où est votre poudre? 15

—Quelle poudre?

—Votre poudre de riz ...

Car elle était fraîchement poudrée et le commissaire n'apercevait aucune boîte à poudre dans la chambre.

—Sur la tablette du cabinet de toilette ... Vous dites cela parce 20 que je vous ai fait attendre? C'est machinalement, je vous jure, que, quand j'ai entendu sonner, j'ai fait un brin de toilette ...

Et Maigret avait envie de laisser tomber:

—Non ...

A voix haute, il disait: 25

—Votre mari était assuré sur la vie?

—Il a pris une assurance de trois cent mille francs l'année de notre mariage ... Puis, plus tard, il en a souscrit une seconde afin que cela fasse le million ...

—Il y a longtemps? 30

—Vous trouverez les polices dans le secrétaire, derrière vous ... Vous pouvez l'ouvrir ... Il n'est pas fermé à clef ... Elles sont dans le tiroir de gauche ...

Deux polices, à la même compagnie. La première remontait à huit ans. Maigret tourna tout de suite la page, cherchant une 35 clause qu'il était presque sûr de trouver.

En cas de suicide ...

Quelques compagnies seulement couvrent le risque en cas de suicide. C'était le cas, avec une restriction cependant: la prime n'était payable, en cas de suicide, que si celui-ci survenait un an au moins après la signature de la police.

5 La seconde assurance, de sept cent mille francs, comportait la même clause. Maigret alla droit à la dernière page, afin de voir la date. La police avait été signée treize mois plus tôt, exactement.

—Votre mari, pourtant, à cette époque, ne faisait pas de brillantes affaires ...

10 —Je sais ... Je ne voulais pas qu'il prenne une aussi grosse assurance, mais il était persuadé que sa maladie était grave, et il tenait à me mettre à l'abri ...

—Je vois qu'il a payé toutes les échéances, ce qui n'a pas dû être facile ...

15 On sonnait. Mme Goldfinger esquissait un mouvement pour se lever, mais le commissaire allait ouvrir, se trouvait face à face avec un Lognon dont tout le sang paraissait quitter le visage et qui balbutiait, les lèvres tendues, comme un gosse qui va pleurer:

—Je vous demande pardon.

20 —Au contraire ... C'est moi qui m'excuse ... Entrez, mon vieux ...

Maigret avait les polices à la main, et l'autre les avait vues, il les désignait du doigt.

—Ce n'est plus la peine ... C'était justement pour cela que je 25 venais ...

—Dans ce cas, nous allons descendre ensemble.

—Il me semble, puisque vous êtes là, que je n'ai plus rien à faire et que je peux rentrer chez moi ... Ma femme, justement, n'est pas bien ...

30 Car Lognon, pour comble d'infortune, avait la femme la plus acariâtre du monde, qui se portait malade la moitié du temps, de sorte que c'était l'inspecteur qui devait faire le ménage en rentrant chez lui.

—Nous descendrons ensemble, vieux ... Le temps de prendre 35 mon chapeau ...

Et Maigret était confus, prêt à balbutier des excuses. Il s'en voulait * de faire de la peine à un pauvre bougre plein de bonne

* **Il s'en voulait** (*see* **exercise 20)**

volonté. On montait l'escalier. C'était Éva qui regardait les deux hommes d'un œil froid et dont le regard allait tout de suite aux polices d'assurances. Elle passait devant eux avec un salut sec.

—Venez, Lognon. Je crois que nous n'avons rien à découvrir ici pour le moment ... Dites-moi, mademoiselle, quand ont lieu les obsèques ...

—Après-demain ... On va ramener le corps cet après-midi ...

—Je vous remercie ...

Drôle de fille. C'était elle qui avait les nerfs si tendus qu'on aurait dû la mettre au lit avec une bonne dose de barbiturique.

—Écoutez, mon vieux Lognon ...

Les deux hommes descendaient l'escalier l'un derrière l'autre, et Lognon soupirait en hochant la tête:

—J'ai compris ... Depuis la première minute ...

—Qu'est-ce que vous avez compris?

—Que ce n'est pas une affaire pour moi ... Ja vais vous faire mon dernier rapport ...

—Mais non, mon vieux ...

Ils passaient devant la loge de la concierge.

—Un instant ... Une question à poser * à cette brave femme ... Dites-moi, madame, est-ce que Mme Goldfinger sort beaucoup?

—Le matin, pour faire son marché ... Parfois, l'après-midi, pour aller dans les grands magasins, mais pas souvent ...

—Elle reçoit des visites?

—Pour ainsi dire jamais ... Ce sont des gens très calmes ...

—Il y a longtemps qu'ils sont dans la maison?

—Six ans ... Si tous les locataires leur ressemblaient ...

Et Lognon, lugubre, tête basse, feignait de ne prendre aucune part à cette conversation qui ne le regardait plus, puisqu'un grand chef du quai des Orfèvres lui coupait l'herbe sous le pied.[34]

—Elle n'est jamais sortie davantage?

—Si on peut dire ... Cet hiver, à un moment donné ... Il y a eu un moment où elle passait presque tous ses après-midi dehors ... Elle m'a dit qu'elle allait tenir compagnie à une amie qui attendait un bébé ...

[34] **lui coupait l'herbe sous le pied** was cutting the ground from under his feet

* **Une question à poser** (*see* exercise 7)

—Et vous avez vu cette amie?

—Non. Sans doute qu'elles se sont brouillées ensuite ...

—Je vous remercie ... C'était avant l'arrivée de Mlle Éva, n'est-ce pas? ...

—C'est à peu près vers ce moment-là que Mme Goldfinger a cessé de sortir, oui ...

—Et rien ne vous a frappée? ...

La concierge dut penser à quelque chose. Un instant, son regard devint plus fixe, mais, presque aussitôt, elle hocha la tête.

—Non ... Rien d'important ...

—Je vous remercie.

Les deux inspecteurs, dans la rue, faisaient semblant de ne pas se connaître.

—Venez avec moi jusque chez *Manière,* inspecteur ... Un coup de téléphone à donner, et je suis à vous.

—A votre disposition ... soupirait Lognon de plus en plus lugubre.

Ils prirent l'apéritif dans un coin. Le commissaire pénétra dans la cabine pour téléphoner.

—Allô! Lucas? ... Notre Commodore?

—Il mijote ...[35]

—Toujours aussi fier?

—Il commence à avoir soif et à saliver ... Je crois qu'il donnerait cher pour un demi ou pour un cocktail ...

—Il aura ça quand il se sera mis à table ... A tout à l'heure ...

Et il retrouva Lognon qui, sur la table de marbre du café, sur du papier à en-tête de chez *Manière,* commençait à écrire sa démission d'une belle écriture moulée de sergent-major.

[35] **il mijote** he's stewing

chapitre 3

Une Locataire trop tranquille et un monsieur pas né d'hier

L'interrogatoire du Commodore dura dix-huit heures, entrecoupé de coups de téléphone à Scotland Yard, à Amsterdam, à Bâle et même à Vienne. Le bureau de Maigret, à la fin, ressemblait à un corps de garde, avec des verres vides, des assiettes de sandwiches sur la table, des cendres de pipe un peu partout sur le plancher et des papiers épars. Et le commissaire, encore qu'il eût tombé la veste dès le début, avait de larges demi-cercles de sueur à sa chemise, sous les aisselles.

Il avait commencé par traiter en monsieur son prestigieux client. A la fin, il le tutoyait comme un vulgaire voleur à la tire [1] ou comme un gars du milieu.[2]

—Écoute, mon vieux ... Entre nous, tu sais bien que ...

Il ne s'intéressait pas du tout à ce qu'il faisait. C'est peut-être, en définitive, à cause de cela qu'il vint à bout d'un des escrocs les plus coriaces. L'autre n'y comprenait rien, voyait le commissaire donner ou recevoir passionnément des coups de téléphone qui ne le concernaient pas toujours.

Pendant ce temps-là, c'était Lognon qui s'occupait de ce qui tenait tant à cœur à Maigret.[3]

[1] **voleur à la tire** holdup man
[2] **gars du milieu** underworld thug
[3] **ce qui tenait tant à cœur à Maigret** what Maigret so desperately wanted to do himself

—Vous comprenez, mon vieux, lui avait-il dit chez *Manière*, il n'y a que quelqu'un du quartier, comme vous, pour s'y retrouver dans cette histoire ... Vous connaissez mieux le coin et tous ces gens-là que n'importe qui ... Si je me suis permis ...

5 Du baume. De la pommade. Beaucoup de pommade pour adoucir les blessures d'amour-propre de l'inspecteur Malgracieux.

—Goldfinger a été tué, n'est-ce pas?

—Puisque vous le dites ...

—Vous le pensez, vous aussi ... Et c'est un des plus beaux 10 crimes que j'aie vus pendant ma carrière ... Avec la police elle-même comme témoin du suicide ... Ça, mon vieux, c'est fortiche, et j'ai bien vu que cela vous frappait dès le premier moment ... Police-Secours qui assiste en quelque sorte au suicide ... Seulement, il y a la trace du silencieux ... Vous y avez pensé dès que 15 Gastinne-Renette vous a fait son rapport ... Une seule balle a été tirée avec le revolver de Goldfinger, et ce revolver, à ce moment-là, était muni d'un silencieux ... Autrement dit, c'est un autre coup de feu, un *deuxième* coup de feu, tiré avec une *seconde* arme, que nous avons entendu ...

20 « Vous connaissez cela aussi bien que moi ...

« Goldfinger était un pauvre type, voué un jour ou l'autre à la faillite ... »

Un pauvre type, en effet. Lognon en avait la preuve. Rue Lafayette, on lui avait parlé du mort avec sympathie, mais aussi 25 avec un certain mépris.

Car, là-bas, on n'a aucune pitié pour les gens qui se laissent rouler. Et il s'était laissé rouler! Il avait vendu des pierres, avec paiement à trois mois, à un bijoutier de Bécon-les-Bruyères à qui on aurait donné le bon Dieu sans confession,[4] un homme 30 d'âge, père de famille, qui, emballé sur le tard pour une gamine pas même jolie, avait fait de la carambouille [5] et avait fini par passer la frontière en compagnie de sa maîtresse.

Un trou de cent mille francs dans la caisse de Goldfinger, qui s'évertuait en vain à le boucher depuis un an.

35 —Un pauvre bougre, vous verrez, Lognon ... Un pauvre

[4] **à qui on aurait donné le bon Dieu sans confession** who looked thoroughly trustworthy

[5] **avait fait de la carambouille** had gone in for swindling

bougre qui ne s'est pas suicidé ... L'histoire du silencieux le prouve ... Mais qui a été assassiné salement, descendu par une crapule ... C'est votre avis, n'est-ce pas? ... Et c'est sa femme qui va toucher un million ...

« Je n'ai pas de conseils à vous donner, car vous êtes aussi averti que moi ...

« Supposez que Mme Goldfinger ait été de mèche[6] avec l'assassin, pour tout dire, à qui quelqu'un a bien dû passer l'arme qui était dans le tiroir ... Après le coup, on a envie de communiquer, n'est-il pas vrai, ne fût-ce que pour se rassurer l'un l'autre? ...

« Or elle n'est pas sortie de l'immeuble ... Elle n'a pas reçu de coup de téléphone ...

« Vous comprenez? ... Je suis sûr, Lognon, que vous me comprenez ... Deux inspecteurs sur le trottoir ... La table d'écoute en permanence ...[7] Je vous félicite d'y avoir pensé ...

« Et la police d'assurance? ... Et le fait qu'il n'y avait qu'un mois que la somme était payable en cas de suicide?

« Je vous laisse faire, mon vieux ... J'ai une autre histoire qui me réclame, et nul n'est mieux qualifié que vous pour mener celle-ci à bonne fin ... »

Voilà comment il avait eu Lognon.[8]

Lognon qui soupirait encore:

—Je continuerai à vous adresser mes rapports en même temps qu'à mes chefs hiérarchiques ...

Maigret était pour ainsi dire prisonnier dans son bureau, autant ou presque que le Commodore. Il n'y avait que le téléphone pour le relier à l'affaire de la rue Lamarck, qui seule l'intéressait. De temps en temps Lognon lui téléphonait, dans le plus pur style administratif:

—J'ai l'honneur de vous faire savoir que ...

Il y avait eu, entre les deux sœurs, une scène, dont on avait entendu les échos dans l'escalier. Puis, le soir, Éva avait décidé d'aller coucher à l'*Hôtel Alsina* au coin de la place Constantin-Pecqueur.

[6] **de mèche** in cahoots
[7] **en permanence** around the clock
[8] **il avait eu Lognon** he had got the better of Lognon

—On dirait qu'elles se détestent ...

—Parbleu!

Et Maigret ajoutait, en surveillant de l'œil son Commodore ahuri:

—Parce qu'il y a une des deux sœurs qui était amoureuse de Goldfinger, et c'était la plus jeune ... Vous pouvez être sûr, Lognon, que celle-là a tout compris ... Ce qui reste à savoir, c'est comment l'assassin communiquait avec Mme Goldfinger ... Pas par téléphone, nous en avons la certitude, grâce à la table d'écoute ... Et elle ne le voyait pas non plus en dehors de la maison ...

Mme Maigret lui téléphonait:

—Quand est-ce que tu rentres? ... Tu oublies qu'il y a vingt-quatre heures que tu n'as pas dormi dans un lit ...

Il répondait:

—Tout à l'heure ...

Puis il reprenait une vingtième, une trentième fois l'interrogatoire du Commodore, qui finit, par lassitude, par se dégonfler.

—Emmenez-le, mes enfants, dit-il à Lucas et à Janvier ... Un instant ... Passez d'abord par le bureau des inspecteurs ...

Ils étaient là sept ou huit devant Maigret, qui commençait à être à bout de fatigue.

—Écoutez, mes enfants ... Vous vous souvenez de la mort de Stan, faubourg Saint-Antoine ... Eh bien! Il y a quelque chose qui m'échappe ... Un nom que j'ai sur le bout de la langue ... Un souvenir qu'un effort suffirait à raviver ...

Ils cherchaient tous, impressionnés, parce que Maigret, à ces moments-là, après des heures de tension nerveuse, les écrasait toujours un peu. Seul Janvier, comme un écolier, fit le geste de lever le doigt.

—Il y avait Mariani ... dit-il.

—Il était avec nous au moment de l'affaire de Stan le Tueur?

—C'est la dernière affaire à laquelle il a été mêlé ...

Et Maigret sortit en claquant la porte. Il avait trouvé. Dix mois plus tôt, on lui avait flanqué un candidat inspecteur qui était pistonné par un ministre quelconque. C'était un bellâtre—un maquereau, dirait le commissaire—qu'il avait supporté pendant quelques semaines dans son service et qu'il avait été obligé de flanquer à la porte.

Le reste regardait Lognon. Et Lognon fit ce qu'il y avait a faire, patiemment, sans génie, mais avec sa minutie habituelle.

Dix jours, douze jours durant, la maison des Goldfinger fut l'objet de la surveillance la plus étroite. Pendant tout ce temps-là, on ne découvrit rien, sinon que la jeune Éva épiait sa sœur, elle aussi.

Le treizième jour, on frappa à la porte de l'appartement où la veuve du courtier en diamants aurait dû se trouver,* et on constata qu'il était vide.

Mme Goldfinger n'était pas sortie et on la retrouva dans l'appartement situé juste au-dessus du sien, loué au nom d'un sieur Mariani.

Un monsieur qui, depuis qu'il avait été expulsé de la P. J., vivait surtout d'expédients ...

... Qui avait de gros appétits et une certaine séduction, au moins aux yeux d'une Mme Goldfinger dont le mari était malade ...

Ils n'avaient besoin ni de se téléphoner ni de se rencontrer dehors ...

Et il y avait une belle prime d'un million à la clef [9] si le pauvre type de courtier se suicidait plus d'un an après avoir signé sa police d'assurance ...

Un coup de feu, avec le silencieux placé sur le propre revolver du mort fourni par l'épouse ...

Puis un second coup de feu, avec une autre arme, devant la borne de Police-Secours, un coup de feu, qui, celui-ci, devait établir péremptoirement le suicide et empêcher que la police recherchât un assassin ...

—Vous avez été un as, Lognon.

—Monsieur le commissaire ...

—Est-ce vous ou moi qui les avez surpris dans leur garçonnière du quatrième étage? ... Est-ce vous qui avez entendu les signaux qu'ils se faisaient à travers le plancher? ...

—Mon rapport dira ...

—Je me fiche de votre rapport, Lognon ... Vous avez gagné

[9] **à la clef** ready at hand

* **où la veuve ... aurait dû se trouver** (*see* **exercise 12**)

la partie ... Et contre des gens rudement forts ... Si vous me permettez de vous inviter à diner ce soir chez *Manière* ...

—C'est que ...

—Que quoi?

5 —Que ma femme est à nouveau mal portante et que ...

Que faire pour des gens comme ça, qui sont obligés de vous quitter pour rentrer chez eux laver la vaisselle et peut-être astiquer les parquets?

Et pourtant c'était à cause de lui, à cause des susceptibilités de l'inspecteur Malgracieux, que Maigret s'était privé des joies d'une des enquêtes qui lui tenaient le plus à cœur.[10]

[10] **lui tenait le plus à cœur** *see n. 3, p. 45*

La Pipe de Maigret

chapitre 1

La Maison des objets qui bougent

Il était sept heures et demie. Dans le bureau du chef, avec un soupir d'aise et de fatigue à la fois, un soupir de gros homme à la fin d'une chaude journée de juillet, Maigret avait machinalement tiré sa montre de son gousset. Puis il avait tendu la main, ramassé ses dossiers sur le bureau d'acajou. La porte matelassée s'était refermée derrière lui et il avait traversé l'antichambre. Personne sur les fauteuils rouges. Le vieux garçon de bureau était dans sa cage vitrée. Le couloir de la Police Judiciaire était vide, une longue perspective à la fois grise et ensoleillée.

Des gestes de tous les jours. Il rentrait dans son bureau. Une odeur de tabac qui persistait toujours, malgré la fenêtre large ouverte sur le quai des Orfèvres. Il déposait ses dossiers sur un coin du bureau, frappait le fourneau de sa pipe encore chaude sur le rebord de la fenêtre, revenait s'asseoir, et sa main, machinalement, cherchait une autre pipe là où elle aurait dû être,[1] à sa droite.

Elle ne s'y trouvait pas. Il y avait bien trois pipes, dont une en écume, près du cendrier, mais la bonne,[2] celle qu'il cherchait, celle à laquelle il revenait le plus volontiers, qu'il emportait toujours avec lui, une grosse pipe en bruyère, légèrement courbe, que sa femme lui avait offerte dix ans plus tôt lors d'un anniver-

[1] **là où elle aurait dû être** where it should have been
[2] **la bonne** the right one

saire, celle qu'il appelait sa bonne vieille pipe, enfin, n'était pas là.

Il tâta ses poches, surpris, y enfonça les mains. Il regarda sur la cheminée de marbre noir. A vrai dire, il ne pensait pas. Il
5 n'y a rien d'extraordinaire à [3] ne pas retrouver sur-le-champ une de ses pipes. Il fit deux ou trois fois le tour du bureau, ouvrit le placard où il y avait une fontaine d'émail pour se laver les mains.

Il cherchait comme tous les hommes, assez stupidement, puisqu'il n'avait pas ouvert ce placard de [4] tout l'après-midi et
10 que, quelques instants après six heures, quand le juge Coméliau lui avait téléphoné, il avait précisément cette pipe-là à la bouche.

Alors il sonna le garçon de bureau.

—Dites-moi, Émile, personne n'est entré ici pendant que j'étais chez le chef?

15 —Personne, monsieur le commissaire.

Il fouillait à nouveau ses poches, celles de son veston, celles de son pantalon. Il avait l'air d'un gros homme contrarié et, de tourner ainsi en rond, cela lui donnait chaud.[5]

Il entra dans le bureau des inspecteurs, où il n'y avait per-
20 sonne. Cela lui arrivait d'y laisser [6] une de ses pipes. C'était curieux et agréable de trouver aussi vides, dans une atmosphère comme de vacances,[7] les locaux du quai des Orfèvres. Pas de pipe. Il frappa chez le chef. Celui-ci venait de sortir. Il entra, mais il savait d'avance que sa pipe n'était pas là, qu'il en fumait une
25 autre quand il était venu vers six heures et demie bavarder des affaires en cours et aussi de son prochain départ pour la campagne.

Huit heures moins vingt. Il avait promis d'être rentré à huit heures boulevard Richard-Lenoir,[8] où sa belle-sœur et son mari
30 étaient invités. Qu'avait-il promis aussi de rapporter? Des fruits. C'était cela. Sa femme lui avait recommandé d'acheter des pêches.

Mais, chemin faisant, dans l'atmosphère lourde du soir, il

[3] **à** in
[4] **de** *do not translate*
[5] **de tourner ainsi ... donnait chaud** and going around like that got him all worked up
[6] **cela lui arrivait d'y laisser** he did occasionally leave behind
[7] **atmosphère comme de vacances** a holiday atmosphere
[8] **boulevard Richard-Lenoir** *the street where Maigret lives*

continuait à penser à sa pipe. Cela le tracassait, un peu à son insu, comme nous tracasse un incident minime mais inexplicable.[9]

Il acheta les pêches, rentra chez lui, embrassa sa belle-sœur qui avait encore grossi. Il servit les apéritifs. Or, à ce moment-là, c'était la bonne pipe qu'il aurait dû avoir à la bouche. 5

—Beaucoup de travail?

—Non. C'est calme.

Il y a des périodes comme ça. Deux de ses collègues étaient en vacances. Le troisième avait téléphoné le matin pour annoncer que de la famille venait de lui arriver de province[10] et qu'il 10 prenait deux jours de congé.

—Tu as l'air préoccupé, Maigret, remarqua sa femme pendant le dîner.

Et il n'osa pas avouer que c'était sa pipe qui le tarabustait. Il n'en faisait pas un drame, certes. Cela ne l'empêchait pas moins 15 d'être en train.[11]

A deux heures. Oui, il s'était assis à son bureau à deux heures et quelques minutes. Lucas était venu lui parler d'une affaire de carambouillage, puis de l'inspecteur Janvier, qui attendait un nouvel enfant. 20

Ensuite, paisiblement, ayant retiré son veston et desserré un peu sa cravate, il avait rédigé un rapport sur un suicide qu'on avait pris un instant pour un crime. Il fumait sa grosse pipe.

Ensuite Gégène. Un petit maquereau de Montmartre qui avait donné un coup de couteau à sa gagneuse. Qui l'« avait un 25 peu piquée », comme il disait. Mais Gégène ne s'était pas approché du bureau. En outre, il avait les menottes.[12]

On servait les liqueurs. Les deux femmes parlaient cuisine. Le beau-frère écoutait vaguement en fumant un cigare, et les bruits du boulevard Richard-Lenoir montaient jusqu'à la fenêtre 30 ouverte.

Il n'avait même pas quitté son bureau, cet après-midi-là,

[9] **comme nous ... inexplicable** *note inverted word order*

[10] **de la famille ... de province** some of his relatives from the provinces had just arrived

[11] **cela ne ... en train** it prevented him nonetheless from being in the proper mood

[12] **il avait les menottes** he was handcuffed

pour aller boire un demi à la Brasserie Dauphine.

Voyons, il y avait eu la femme ... Comment s'appelait-elle encore? [13] Roy ou Leroy. Elle n'avait pas de rendez-vous. Émile était venu annoncer:

5 —Une dame et son fils.

—De quoi s'agit-il?

—Elle ne veut pas [14] le dire. Elle insiste pour parler au chef.

—Faites-la entrer.

Un pur hasard qu'il y eût du battement dans son emploi du 10 temps, car autrement il ne l'aurait pas reçue. Il avait attaché si peu d'importance à cette visite qu'il avait peine, maintenant, à se souvenir des détails.

Sa belle-sœur et son beau-frère s'en allaient. Sa femme lui faisait remarquer, en remettant de l'ordre dans l'appartement:

15 —Tu n'as pas été loquace, ce soir. Il y a quelque chose qui ne va pas.[15]

Non. Tout allait fort bien, au contraire, sauf la pipe. La nuit commençait à tomber et Maigret, en manche de chemise, s'accouda à la fenêtre, comme des milliers de gens, à la même 20 heure, prenaient le frais en fumant leur pipe ou leur cigarette à des fenêtres de Paris.

La femme—c'était plutôt Mme Leroy [16]—s'était assise juste en face du commissaire. Avec cette allure un peu raide des gens qui se sont promis d'être dignes. Une femme dans les quarante-cinq 25 ans,[17] de celles qui, sur le retour, commencent à se dessécher. Maigret, pour sa part, préférait celles que les années empâtent.

—Je suis venu vous voir, monsieur le directeur ...

—Le directeur est absent. Je suis le commissaire Maigret.

Tiens! Un détail qui lui revenait. La femme n'avait pas 30 bronché. Elle ne devait pas lire les journaux et, sans doute, n'avait-elle pas entendu parler de lui? Elle avait paru plutôt vexée de n'être pas mise en présence du directeur de la Police Judiciaire en personne et elle avait eu [18] un petit geste de la main

[13] **comment ... encore?** now, what was her name again?
[14] **elle ne veut pas** she refuses
[15] **il y a quelque chose qui ne va pas** something's wrong
[16] **c'était plutôt Mme Leroy** Mrs. Leroy was her name
[17] **dans les quarante-cinq ans** in her mid-forties
[18] **elle avait eu** she had made

comme pour dire:

« Tant pis! Il faudra bien que je m'en arrange. »

Le jeune homme, au contraire, à qui Maigret n'avait pas encore fait attention, avait eu une sorte de haut-le-corps, et son regard s'était porté vivement, avidement, sur le commissaire. 5

—Tu ne te couches pas, Maigret? questionnait Mme Maigret, qui venait de faire la couverture et qui commençait à se dévêtir.

—Tout à l'heure.

Maintenant, qu'est-ce que cette femme lui avait raconté au juste? Elle avait tant parlé! Avec volubilité, avec insistance, à la 10 façon des gens qui donnent une importance considérable à leurs moindres paroles et qui craignent toujours qu'on ne les prenne pas au sérieux. Une manie de femmes, d'ailleurs, surtout de femmes qui approchent de la cinquantaine.

—Nous habitons, mon fils et moi ... 15

Elle n'avait pas tellement tort, au fond, car Maigret ne lui prêtait qu'une oreille distraite.

Elle était veuve, bon! Elle avait dit qu'elle était veuve depuis quelques années, cinq ou dix, il l'avait oublié. Assez longtemps puisqu'elle se plaignait d'avoir eu du mal à élever son fils. 20

—J'ai tout fait pour lui, monsieur le commissaire.

Comment accorder son attention à des phrases que répètent toutes les femmes du même âge et dans la même situation, avec une fierté identique, et une pareille moue douloureuse? [19] Il y avait d'ailleurs eu un incident au sujet de ce veuvage. Lequel? 25 Ah! oui ...

Elle avait dit:

—Mon mari était officier de carrière.

Et son fils avait rectifié:

—Adjudant, maman. Dans l'Intendance, à Vincennes.[20] 30

—Pardon ... Quand je dis officier, je sais ce que je dis. S'il n'était pas mort, s'il ne s'était tué au travail pour des chefs qui ne le valaient pas et qui lui laissaient toute la besogne, il serait officier à l'heure qu'il est ... Donc ...

Maigret n'oubliait pas sa pipe. Il serrait la question, au con- 35 traire. La preuve, c'est que ce mot Vincennes était rattaché à la

[19] **une pareille moue douloureuse** an identical pained expression
[20] **Vincennes** *important army installation in northeast Paris*

pipe. Il la fumait, il en était sûr, au moment où il[21] avait été prononcé. Or, après, il n'avait plus été question de Vincennes.

—Pardon. Où habitez-vous?

Il avait oublié le nom du quai, mais c'était tout de suite 5 après le quai de Bercy, à Charenton.[22] Il retrouvait dans sa mémoire l'image d'un quai très large, avec des dépôts, des péniches en déchargement.

—Une petite maison à un étage,[23] entre un café qui fait l'angle[24] et un grand immeuble de rapport.

10 Le jeune homme était assis au coin du bureau, son chapeau de paille sur les genoux, car il avait un chapeau de paille.

—Mon fils ne voulait pas que je vienne vous trouver, monsieur le directeur. Pardon, monsieur le commissaire. Mais je lui ai dit:

15 « —Si tu n'as rien à te reprocher, il n'y a pas de raison pour que ... »

De quelle couleur était sa robe? Dans les noirs, avec du mauve. Une de ces robes que portent les femmes mûres qui visent la distinction. Un chapeau assez compliqué, probablement 20 transformé maintes fois. Des gants en fil sombre. Elle s'écoutait parler.[25] Elle commençait ses phrases par des:

—Figurez-vous que ...

Ou encore:

—Tout le monde vous dira ...

25 Maigret, qui, pour la recevoir, avait passé son veston, avait chaud et somnolait. Une corvée. Il regrettait de ne pas l'avoir envoyée tout de suite au bureau des inspecteurs.

—Voilà plusieurs fois déjà que quand je rentre chez moi je constate que quelqu'un y est venu en mon absence.

30 —Pardon. Vous vivez seule avec votre fils?

—Oui. Et j'ai d'abord pensé que c'était lui.[26] Mais c'était pendant ses heures de travail.

[21] **il** *i.e., "ce mot"*

[22] **le quai de Bercy, à Charenton** *street along the Seine, in the industrial suburb Charenton, south of Paris*

[23] **à un étage** two-story

[24] **qui fait l'angle** on the corner

[25] **elle s'écoutait parler** she liked to hear herself talk

[26] **lui** *i.e., her son*

Maigret regarda le jeune homme qui paraissait contrarié. Encore un type qu'il connaissait bien. Dix-sept ans sans doute. Maigre et long. Des boutons dans la figure, des cheveux tirant sur le roux et des taches de rousseur autour du nez.

Sournois? Peut-être. Sa mère devait le déclarer un peu plus tard, car il y a des gens qui aiment dire du mal des leurs.[27] Timide en tout cas. Renfermé. Il fixait le tapis, ou n'importe quel objet dans le bureau et, quand il croyait qu'on ne le regardait pas, il jetait vite à Maigret un coup d'oeil aigu.

Il n'était pas content d'être là, c'était évident. Il n'était pas d'accord avec sa mère sur l'utilité de cette démarche. Peut-être avait-il un peu honte d'elle, de sa prétention, de son bavardage?

—Que fait votre fils?

—Garçon coiffeur.

Et le jeune homme de déclarer [28] avec amertume:

—Parce que j'ai un oncle qui a un salon de coiffure à Niort,[29] ma mère s'est mis en tête de ...

—Il n'y a pas de honte à être coiffeur. C'est pour vous dire,[30] monsieur le commissaire, qu'il ne peut pas quitter le salon où il travaille, près de la République.[31] D'ailleurs, je m'en suis assurée.

—Pardon. Vous avez soupçonné votre fils de rentrer chez vous en votre absence et vous l'avez surveillé?

—Oui, monsieur le commissaire. Je ne soupçonne personne en particulier, mais je sais que les hommes sont capables de tout.

—Qu'est-ce que votre fils serait [32] allé faire chez vous à votre insu?

—Je ne sais pas.

Puis, après un silence:

—Peut-être amener des femmes! Il y a trois mois, j'ai bien trouvé une lettre de gamine dans sa poche. Si son père ...

—Comment avez-vous la certitude qu'on est entré chez vous?

[27] **des leurs** of their own family
[28] **de déclarer** declared
[29] **Niort** *a city in west central France, southwest of Poitiers*
[30] **c'est pour vous dire** what I'm telling you is
[31] **la République = la place de la République** *a working-class neighborhood in northeast Paris*
[32] **serait** *the conditional indicates conjecture*

—D'abord, cela se sent [33] tout de suite. Rien qu'en ouvrant la porte, je pourrais dire ...

Pas très scientifique, mais assez vrai, assez humain, en somme. Maigret avait déjà eu de ces impressions-là.[34]

5 —Ensuite?

—Ensuite, de menus détails. Par exemple, la porte de l'armoire à glace, que je ne ferme jamais à clef, et que je retrouvais fermée d'un tour de clef.

—Votre armoire à glace contient des objets précieux?

10 —Nos vêtements et notre linge, plus quelques souvenirs de famille, mais rien n'a disparu, si c'est cela que vous voulez dire. Dans la cave aussi une caisse qui avait changé de place.

—Et qui contenait? ...

—Des bocaux vides.

15 —En somme, rien n'a disparu de chez vous?

—Je ne crois pas.

—Depuis combien de temps avez-vous l'impression qu'on visite votre domicile?

—Ce n'est pas une impression. C'est une certitude. Environ 20 trois mois.

—Combien de fois, à votre avis, est-on venu?

—Peut-être dix en tout. Après la première fois, on est resté longtemps, peut-être trois semaines sans venir. Ou, alors, je ne l'ai pas remarqué. Puis deux fois coup sur coup. Puis encore trois 25 semaines ou plus. Depuis quelques jours, les visites se suivent et, avant-hier, quand il y a eu le terrible orage, j'ai trouvé des traces de pas et du mouillé.

—Vous ne savez pas si ce sont des traces d'homme ou de femme?

30 —Plutôt d'homme, mais je ne suis pas sûre.

Elle avait bien dit d'autres choses. Elle avait tant parlé, sans avoir besoin d'y être poussée! Le lundi précédent, par exemple, elle avait emmené exprès son fils au cinéma, parce que les coiffeurs ne travaillent pas le lundi. Comme cela, il était bien 35 surveillé. Il ne l'avait pas quittée de l'après-midi.[35] Ils étaient

[33] **cela se sent** you can sense it
[34] **de ces impressions-là** similar impressions
[35] **de l'après-midi** for the whole afternoon

rentrés ensemble.

—Or, on était venu.

—Et pourtant votre fils ne voulait pas que vous en parliez à la police?

—Justement, monsieur le commissaire. C'est ça que je ne comprends pas. Il a vu les traces comme moi.

—Vous avez vu les traces, jeune homme?

Il préférait ne pas répondre, prendre un air buté. Cela signifiait-il que sa mère exagérait, qu'elle n'était pas dans son bon sens? [36]

—Savez-vous par quelle voie le ou les visiteurs pénétrèrent dans la maison?

—Je suppose que c'est par la porte. Je ne laisse jamais les fenêtres ouvertes. Pour entrer par la cour, le mur est trop haut et il faudrait traverser les cours des maisons voisines.

—Vous n'avez pas vu de traces sur la serrure?

—Pas une égratignure. J'ai même regardé avec la loupe de feu mon mari.

—Et personne n'a la clef de votre maison?

—Personne. Il y aurait bien ma fille [37] (léger mouvement du jeune homme), mais elle habite Orléans [38] avec son mari et ses deux enfants.

—Vous vous entendez bien avec elle?

—Je lui ai toujours dit qu'elle avait tort d'épouser un propre à rien. A part ça, comme nous ne nous voyons pas ...

—Vous êtes souvent absente de chez vous? Vous m'avez dit que vous étiez veuve. La pension que vous touchez de l'armée est vraisemblablement insuffisante.

Elle prit un air à la fois digne et modeste.

—Je travaille. Enfin! Au début, je veux dire après la mort de mon mari, j'ai pris des pensionnaires, deux. Mais les hommes sont trop sales. Si vous aviez vu l'état dans lequel ils laissaient leur chambre!

[36] **elle n'était pas dans son bon sens** she didn't know what she was talking about

[37] **il y aurait bien ma fille** *the use of the conditional indicates that the speaker considers this an unlikely explanation*

[38] **Orléans** *historic city on the Loire River*

A ce moment-là, Maigret ne se rendait pas compte qu'il écoutait et pourtant, à présent, il retrouvait non seulement les mots, mais les intonations.

—Depuis un an, je suis dame de compagnie chez Mme Lallemant. Une personne très bien. La mère d'un médecin. Elle vit seule, près de l'écluse de Charenton, juste en face, et toutes les après-midi je ... C'est plutôt une amie, comprenez-vous?

A la vérité, Maigret n'y avait attaché aucune importance. Une maniaque? Peut-être. Cela ne l'intéressait pas. C'était le type même de la visite qui vous fait perdre une demi-heure. Le chef, justement, était entré dans le bureau, ou plutôt en avait poussé la porte, comme il le faisait souvent. Il avait jeté un coup d'œil sur les visiteurs, s'était rendu compte, lui aussi, rien qu'à leur allure, que c'était du banal.[39]

—Vous pouvez venir un instant, Maigret?

Ils étaient restés un moment debout tous les deux, dans le bureau voisin, à discuter[40] d'un mandat d'arrêt qui venait d'arriver télégraphiquement de Dijon.[41]

—Torrence s'en chargera, avait dit Maigret.

Il n'avait pas sa bonne pipe, mais une autre. Sa bonne pipe, il avait dû, logiquement, la déposer sur le bureau au moment où, un peu plus tôt, le juge Coméliau lui avait téléphoné. Mais, alors, il n'y pensait pas encore.

Il rentrait, restait debout devant la fenêtre, les mains derrière le dos.

—En somme, madame, on ne vous a rien volé?

—Je le suppose.

—Je veux dire que vous ne portez pas plainte pour vol?

—Je ne le peux pas, étant donné que ...

—Vous avez simplement l'impression qu'en votre absence quelqu'un, ces derniers mois, ces derniers jours surtout, a pris l'habitude de pénétrer chez vous?

—Et même une fois la nuit.

—Vous avez vu quelqu'un?

—J'ai entendu.

[39] **c'était du banal** they were commonplace people
[40] **à discuter** discussing
[41] **Dijon** *former capital of Burgundy*

—Qu'est-ce que vous avez entendu?

—Une tasse est tombée, dans la cuisine, et s'est brisée. Je suis descendue aussitôt.

—Vous étiez armée?

—Non. Je n'ai pas peur.

—Et il n'y avait personne?

—Il n'y avait plus personne. Les morceaux de la tasse étaient par terre.

—Et vous n'avez pas de chat?

—Non. Ni chat, ni chien. Les bêtes font trop de saletés.

—Un chat n'aurait pas pu s'introduire chez vous?

Et le jeune homme, sur sa chaise, paraissait de plus en plus au supplice.

—Tu abuses de la patience du commissaire Maigret, maman.

—Bref, madame, vous ne savez pas qui s'introduit chez vous et vous n'avez aucune idée de ce qu'on pourrait y chercher?

—Aucune. Nous avons toujours été d'honnêtes gens, et ...

—Si je puis vous donner un conseil, c'est de faire changer votre serrure. On verra bien si les mystérieuses visites continuent.

—La police ne fera rien?

Il les poussait vers la porte. C'était [42] bientôt l'heure où le chef l'attendait dans son bureau.

—A tout hasard, je vous enverrai demain un de mes hommes. Mais, à moins de surveiller la maison [43] du matin au soir et du soir au matin, je ne vois pas bien ...

—Quand viendra-t-il?

—Vous m'avez dit que vous étiez chez vous le matin.

—Sauf pendant que je fais mon marché.

—Voulez-vous dix heures? ...[44] Demain à dix heures. Au revoir, madame. Au revoir, jeune homme.

Un coup de timbre. Lucas entra.

—C'est toi? ... Tu iras demain dix heures à cette adresse. Tu verras de quoi il s'agit.

Sans conviction aucune. La préfecture de police partage avec les rédactions de journaux le privilège d'attirer tous les fous et

[42] **c'était** it would be

[43] **à moins de surveiller la maison** unless the house is watched

[44] **voulez-vous dix heures?** does ten o'clock suit you?

tous les maniaques.

Or, maintenant, à sa fenêtre où la fraîcheur de la nuit commençait à le pénétrer, Maigret grognait:

—Sacré gamin!

Car c'était lui, sans aucun doute, qui avait chipé la pipe sur le bureau.

—Tu ne te couches pas?

Il se coucha. Il était maussade, grognon. Le lit était déjà chaud et moite. Il grogna encore avant de s'endormir. Et, le matin, il s'éveilla sans entrain, comme quand on s'est endormi sur[45] une impression désagréable. Ce n'était pas un pressentiment et pourtant il sentait bien—sa femme le sentait aussi, mais n'osait rien dire—qu'il commençait la journée du mauvais pied. En plus, le ciel était orageux, l'air déjà lourd.

Il gagna le quai des Orfèvres à pied, par les quais, et deux fois il lui arriva de chercher machinalement sa bonne pipe dans sa poche. Il gravit en soufflant l'escalier poussiéreux. Émile l'accueillit par:

—Il y a quelqu'un pour vous,[46] monsieur le commissaire.

Il alla jeter un coup d'œil à la salle d'attente vitrée et aperçut Mme Leroy qui se tenait assise sur l'extrême bord d'une chaise recouverte de velours vert, comme prête à bondir. Elle l'aperçut, se précipita effectivement vers lui, crispée, furieuse, angoissée, en proie à mille sentiments différents et, lui saisissant les revers du veston, elle cria:

—Qu'est-ce que je vous avais dit? Ils sont venus cette nuit. Mon fils a disparu. Vous me croyez, maintenant? Oh! j'ai bien senti que vous me preniez pour une folle. Je ne suis pas si bête. Et tenez, tenez ...

Elle fouillait fébrilement dans son sac, en tirait un mouchoir à bordure bleue qu'elle brandissait triomphalement.

—Ça ... Oui, ça, est-ce une preuve? Nous n'avons pas de mouchoir avec du bleu dans la maison. N'empêche que je l'ai trouvé au pied de la table de cuisine. Et ce n'est pas tout.

Maigret regarda d'un œil morne le long couloir où régnait l'animation matinale et où on se retournait sur eux.

[45] **sur** with
[46] **pour vous** to see you

—Venez avec moi, madame, soupira-t-il.

La tuile, évidemment. Il l'avait sentie venir. Il poussa la porte de son bureau, accrocha son chapeau à la place habituelle.

—Asseyez-vous. Je vous écoute. Vous dites que votre fils? ...

—Je dis que mon fils a disparu cette nuit et qu'à l'heure qu'il est Dieu sait ce qu'il est devenu. 5

chapitre 2

Les Pantoufles de Joseph

Il était difficile de savoir ce qu'elle pensait exactement du sort de son fils. Tout à l'heure, à la P.J., au cours de la crise de larmes qui avait éclaté avec la soudaineté d'un orage d'été, elle gémissait:

5 —Voyez-vous, je suis sûre qu'ils me l'ont tué. Et vous, pendant ce temps-là, vous n'avez rien fait. Si vous croyez que je ne sais pas ce que vous avez pensé! Vous m'avez prise pour une folle. Mais si! Et, maintenant, il est sans doute mort. Et moi, je vais rester toute seule, sans soutien.

10 Or, à présent, dans le taxi qui roulait sous la voûte de verdure du quai de Bercy, pareil à un mail de province, ses traits étaient redevenus nets, son regard aigu, et elle disait:

—C'est un faible, voyez-vous, monsieur le commissaire. Il ne pourra jamais résister aux femmes. Comme son père, qui m'a tant 15 fait souffrir!

Maigret était assis à côté d'elle sur la banquette du taxi. Lucas avait pris place à côté du chauffeur.

Tiens! après la limite de Paris, sur le territoire de Charenton, le quai continuait à s'appeler quai de Bercy. Mais il n'y avait 20 plus d'arbres. Des cheminées d'usines, de l'autre côté de la Seine. Ici, des entrepôts, des pavillons bâtis jadis quand c'était encore presque la campagne et coincés maintenant entre des maisons de rapport. A un coin de rue, un café-restaurant d'un rouge agressif, avec des lettres jaunes, quelques tables de fer et deux lauriers étiques dans des tonneaux.

Mme Roy—non, Leroy—s'agita, frappa la vitre.

—C'est ici. Je vous demande de ne pas prendre garde au désordre. Inutile de vous dire que je n'ai pas pensé à faire le ménage.

Elle chercha une clef dans son sac. La porte était d'un brun sombre, les murs extérieurs d'un gris de fumée. Maigret avait eu le temps de s'assurer qu'il n'y avait pas de traces d'effraction.

—Entrez, je vous prie. Je pense que vous allez vouloir visiter toutes les pièces. Tenez! les morceaux de la tasse sont encore où je les ai trouvés.

Elle ne mentait pas quand elle disait que c'était propre. Il n'y avait de poussière nulle part. On sentait l'ordre. Mais, mon Dieu, que c'était triste! [1] Plus que triste, lugubre! Un corridor trop étroit, avec le bas peint en brun et le haut en jaune foncé. Des portes brunes. Des papiers collés depuis vingt ans au moins et si passés qu'ils n'avaient plus de couleur.

La femme parlait toujours. Peut-être parlait-elle quand elle était toute seule aussi, faute de pouvoir supporter le silence.

—Ce qui m'étonne le plus, c'est que je n'ai rien entendu. J'ai le sommeil si léger que je m'éveille plusieurs fois par nuit. Or, la nuit dernière, j'ai dormi comme un plomb. Je me demande...

Il la regarda.

—Vous vous demandez si on ne vous a pas donné une drogue pour vous faire dormir?

—Ce n'est pas possible. Il n'aurait pas fait cela? Pourquoi? Dites-moi pourquoi il l'aurait fait?

Allait-elle redevenir agressive? Tantôt elle semblait accuser son fils et tantôt elle le présentait comme une victime, tandis que Maigret, lourd et lent, donnait, même quand il allait à travers la petite maison, une sensation d'immobilité. Il était là, comme une éponge, à s'imprégner lentement de tout ce qui suintait autour de lui.

Et la femme s'attachait à ses pas, suivait chacun de ses gestes, de ses regards, méfiante, cherchant à deviner ce qu'il pensait.

Lucas, lui aussi, épiait les réflexes du patron, dérouté par cette enquête qui avait quelque chose de pas sérieux, sinon de

[1] **que c'était triste** how dreary it was

loufoque.[2]

—La salle à manger est à droite, de l'autre côté du corridor. Mais, quand nous étions seuls, et nous étions toujours seuls, nous mangions dans la cuisine.

Elle aurait été bien étonnée, peut-être indignée, si elle avait soupçonné que ce que Maigret cherchait machinalement autour de lui, c'était sa pipe. Il s'engageait dans l'escalier plus étroit encore que le corridor, à la rampe fragile, aux marches qui craquaient. Elle le suivait. Elle expliquait, car c'était un besoin chez elle d'expliquer: [3]

—Joseph occupait la chambre de gauche ... Mon Dieu! Voilà que je viens de dire occupait, comme si ...[4]

—Vous n'avez touché à rien?

—A rien, je le jure. Comme vous voyez, le lit est défait. Mais je parie qu'il n'y a pas dormi. Mon fils remue beaucoup en dormant. Le matin, je retrouve toujours les draps roulés, souvent les couvertures par terre. Il lui arrive de rêver tout haut et même de crier dans son sommeil.

En face du lit, une garde-robe dont le commissaire entr'ouvrit la porte.

—Tous ses vêtements sont ici?

—Justement non. S'ils y étaient, j'aurais trouvé son costume et sa chemise sur une chaise, car il n'avait pas d'ordre.

On aurait pu [5] supposer que le jeune homme, entendant du bruit pendant la nuit, était descendu dans la cuisine, et là avait été attaqué par le ou les mystérieux visiteurs.

—Vous l'avez vu dans son lit, hier au soir?

—Je venais toujours l'embrasser quand il était couché. Hier au soir, je suis venue comme tous les autres jours. Il était déshabillé. Ses vêtements étaient sur la chaise. Quant à la clef ...

Une idée la frappait. Elle expliquait:

—Je restais toujours la dernière en bas et je fermais la porte à clef. Je gardais cette clef dans ma chambre, sous mon oreiller,

[2] **qui avait ... sinon de loufoque** about which there was something frivolous, if not crazy
[3] **c'était un ... d'expliquer** explaining things was for her a need
[4] **voilà que ... comme si** now haven't I just said *used* to occupy, as if
[5] **aurait pu** might have

pour éviter ...

—Votre mari découchait souvent?

Et elle, digne et douloureuse:

—Il l'a fait une fois, après trois ans de mariage.

—Et, dès ce moment, vous avez pris l'habitude de glisser la clef sous votre oreiller? 5

Elle ne répondit pas et Maigret fut certain que le père avait été surveillé aussi sévèrement que le fils.

—Donc, ce matin, vous avez retrouvé la clef à sa place?

—Oui, monsieur le commissaire. Je n'y ai pas pensé tout de suite, mais cela me revient. C'est donc qu'il ne voulait pas s'en aller, n'est-ce pas? 10

—Un instant. Votre fils s'est couché. Puis il s'est relevé et rhabillé.

—Tenez! Voici sa cravate par terre. Il n'a pas mis sa cravate. 15

—Et ses souliers?

Elle se tourna vivement vers un coin de la pièce où il y avait deux chaussures usées à certaine distance l'une de l'autre.

—Non plus.[6] Il est parti en pantoufles.

Maigret cherchait toujours sa pipe, sans la trouver. Il ne savait pas au juste ce qu'il cherchait, d'ailleurs. Il fouillait au petit bonheur cette chambre pauvre et morne où le jeune homme avait vécu. Un costume dans l'armoire, un costume bleu, son « bon costume », qu'il ne devait mettre que le dimanche, et une paire de souliers vernis. Quelques chemises, presque toutes usées et réparées au col et aux poignets. Un paquet de cigarettes entamé. 20 25

—Au fait, votre fils ne fumait-il pas la pipe?

—A son âge, je ne le lui aurais pas permis. Il y a quinze jours, il est revenu à la maison avec une petite pipe, qu'il avait dû acheter dans un bazar, car c'était de la camelote. Je la lui ai arrachée de la bouche[7] et je l'ai jetée dans le feu. Son père, à quarante-cinq ans, ne fumait pas la pipe. 30

Maigret soupira, gagna la chambre de Mme Leroy, qui répéta: 35

—Mon lit n'est pas fait. Excusez le désordre.

[6] **non plus** *ellipsis for "il n'a pas mis ses souliers non plus"*

[7] **je la lui ai arrachée de la bouche** I pulled it out of his mouth

C'était écœurant de banalité mesquine.[8]

—En haut, il y a des mansardes où nous couchions les premiers mois de mon veuvage, quand j'ai pris des locataires. Dites-moi, puisqu'il n'a mis ni ses souliers, ni sa cravate, est-ce que
5 vous croyez ... ?

Et Maigret, excédé:

—Je n'en sais rien, madame!

Depuis deux heures, Lucas, consciencieusement, fouillait la maison dans ses moindres recoins, suivi de Mme Leroy, qu'on
10 entendait parfois dire:

—Tenez, une fois, ce tiroir a été ouvert. On a même retourné la pile de linge qui se trouve sur la planche du dessus.[9]

Dehors régnait un lourd soleil aux rayons épais comme du miel, mais dans la maison c'était la pénombre, la grisaille
15 perpétuelle. Maigret faisait de plus en plus l'éponge, sans avoir le courage de suivre ses compagnons dans leurs allées et venues.

Avant de quitter le quai des Orfèvres, il avait chargé un inspecteur de téléphoner à Orléans pour s'assurer que la fille mariée n'était pas venue à Paris les derniers temps. Ce n'était pas
20 une piste.[10]

Fallait-il croire que Joseph s'était fait faire une clef à l'insu de sa mère? Mais alors, s'il comptait partir cette nuit-là, pourquoi n'avait-il pas mis sa cravate, ni surtout ses chaussures?

Maigret savait maintenant à quoi ressemblaient les fameuses
25 pantoufles. Par économie, Mme Leroy les confectionnait elle-même, avec de vieux morceaux de tissu, et elle taillait les semelles dans un bout de feutre.

Tout était pauvre, d'une pauvreté d'autant plus pénible, d'autant plus étouffante, qu'elle ne voulait pas s'avouer.[11]

30 Les anciens locataires? Mme Leroy lui en avait parlé. Le premier qui s'était présenté, quand elle avait mis un écriteau à

[8] **c'était écœurant de banalité mesquine** the shabby, commonplace appearance of the room was sickening
[9] **planche du dessus** top shelf
[10] **ce n'était pas une piste** that trail led nowhere (*lit.*, it wasn't a trail)
[11] **qu'elle ne voulait pas s'avouer** because it was unacknowledged

la fenêtre, était un vieux célibataire, employé chez Soustelle, la maison de vins en gros dont il[12] avait aperçu le pavillon en passant quai de Bercy.

—Un homme convenable, bien élevé, monsieur le commissaire. Ou plutôt peut-on appeler un homme bien élevé quelqu'un qui secoue sa pipe partout? Et puis il avait la manie de se relever la nuit, de descendre pour se chauffer de la tisane. Une nuit, je me suis relevée et je l'ai rencontré en chemise de nuit et en caleçon dans l'escalier. C'était pourtant quelqu'un d'instruit.

La seconde chambre avait d'abord été occupée par un maçon, un contremaître, disait-elle, mais son fils aurait sans doute corrigé ce titre prétentieux. Le maçon lui faisait la cour et voulait absolument l'épouser.

—Il me parlait toujours de ses économies, d'une maison qu'il possédait près de Montluçon et où il voulait m'emmener quand nous serions mariés. Remarquez que je n'ai pas un mot, pas un geste à lui reprocher. Quand il rentrait, je lui disais:

» —Lavez-vous les mains, monsieur Germain.

» —Et il allait se les laver au robinet. C'est lui qui, le dimanche, a cimenté la cour, et j'ai dû insister pour payer le ciment. »

Puis le maçon était parti, peut-être découragé, et avait été remplacé par un M. Bleustein.

—Un étranger. Il parlait très bien le français, mais avec un léger accent. Il était voyageur de commerce et il ne venait coucher qu'une fois ou deux par semaine.

—Est-ce que vos locataires avaient une clef?

—Non, monsieur le commissaire, parce qu'à ce moment-là j'étais toujours à la maison. Quand je devais sortir, je la glissais dans une fente de la façade, derrière la gouttière, et ils savaient bien où la trouver. Une semaine, M. Bleustein n'est pas revenu. Je n'ai rien retrouvé dans sa chambre qu'un peigne cassé, un vieux briquet et du linge tout déchiré.

—Il ne vous avait pas avertie?

—Non. Et pourtant lui aussi était un homme bien élevé.

Il y avait quelques livres sur la machine à coudre, qui se trouvait dans un coin de la salle à manger. Maigret les feuilleta

[12] **il** *i.e., Maigret*

négligemment. C'étaient des romans en édition bon marché, surtout des romans d'aventures. Par-ci, par-là, dans la marge d'une page, on retrouvait deux lettres entrelacées, tantôt au crayon, tantôt à l'encre: J et M, l'M presque toujours plus grand, plus artistiquement moulé que le J.

—Vous connaissez quelqu'un dont le nom commence par M, madame Leroy? cria-t-il dans la cage d'escalier.

—Un M? ... Non, je ne vois pas. Attendez ... Il y avait bien la belle-sœur de mon mari qui s'appelait Marcelle, mais elle est morte en couches [13] à Issoudun.[14]

Il était midi quand Lucas et Maigret se retrouvèrent dehors.

—On va boire quelque chose, patron?

Et ils s'attablèrent dans le petit bistro rouge qui faisait le coin. Ils étaient aussi mornes l'un que l'autre. Lucas était plutôt de mauvaise humeur.

—Quelle boutique! [15] soupira-t-il. A propos, j'ai découvert ce bout de papier. Et devinez où? Dans le paquet de cigarettes du gosse. Il devait avoir une peur bleue [16] de sa mère, celui-là. Au point de cacher ses lettres d'amour dans ses paquets de cigarettes!

C'était une lettre d'amour, en effet:

Mon cher Joseph,

Tu m'as fait de la peine, hier, en disant que je te méprisais et que je n'accepterais jamais d'épouser un homme comme toi. Tu sais bien que je ne suis pas ainsi et que je t'aime autant que tu m'aimes. J'ai confiance que tu seras un jour quelqu'un. Mais, de grâce, ne m'attends plus aussi près du magasin. On t'a remarqué, et Mme Rose, qui en fait autant, mais qui est une chipie, s'est déjà permis des réflexions. Attends-moi dorénavant près du métro. Pas demain, car ma mère doit venir me chercher pour aller au dentiste. Et surtout ne te mets plus d'idées en tête. Je t'embrasse comme je t'aime.

MATHILDE.

—Et voilà! dit Maigret en fourrant le papier dans son

[13] **elle est morte en couches** she died in childbirth
[14] **Issoudun** *town in central France, near Bourges*
[15] **quelle boutique!** what a business!
[16] **devait ... peur bleue** must have been scared stiff

portefeuille.

—Voilà quoi?

Le J et l'M. La vie! Cela commence comme ça et cela finit dans une petite maison qui sent le renfermé et la résignation.

—Quand je pense que cet animal-là m'a chipé ma pipe! 5

—Vous croyez vraiment qu'on l'a enlevée, vous?

Lucas n'y croyait pas, cela se sentait. Ni à toutes les histoires de la mère Leroy. Il en avait déjà assez de cette affaire et il ne comprenait rien à l'attitude du patron qui semblait ruminer gravement Dieu sait quelles idées. 10

—S'il ne m'avait pas chipé ma pipe ... commença Maigret.

—Eh bien! Qu'est-ce que ça prouve?

—Tu ne peux pas comprendre. Je serais plus tranquille. Garçon! qu'est-ce que je vous dois?

Ils attendirent l'autobus, l'un près de l'autre, à regarder le 15 quai à peu près désert où les grues, pendant le casse-croûte, restaient les bras en l'air et où les péniches semblaient dormir.

Dans l'autobus, Lucas remarqua:

—Vous ne rentrez pas chez vous?

—J'ai envie de passer au quai. 20

Et soudain, avec un drôle de rire bref autour du tuyau de sa pipe:

—Pauvre type! ... Je pense à l'adjudant qui a peut-être trompé sa femme une fois dans sa vie et qui, pendant le restant de ses jours, a été bouclé chaque nuit dans sa propre maison! 25

Puis, après un moment de lourde rêverie:

—Tu as remarqué, Lucas, dans les cimetières, qu'il y a beaucoup plus de tombes de veuves que de veufs? « Ci-gît Untel,[17] décédé en 1901. » Puis, en dessous, d'une gravure plus fraîche: « Ci-gît Une telle, veuve Untel, décédée en 1930. » Elle 30 l'a retrouvé, bien sûr, mais vingt-neuf ans après!

Lucas n'essaya pas de comprendre et changea d'autobus pour aller déjeuner avec sa femme.

~

Pendant qu'aux Sommiers[18] on s'occupait de tous les Bleu-

[17] **ci-gît Untel** Here lies so-and-so
[18] **Sommiers** police records

stein qui pouvaient avoir eu maille à partir[19] avec la Justice, Maigret s'occupait des affaires courantes et Lucas passait une bonne partie de son après-midi dans le quartier de la République.

L'orage n'éclatait pas. La chaleur était de plus en plus lourde, 5 avec un ciel plombé qui virait au violet comme un vilain furoncle. Dix fois au moins, Maigret avait tendu la main sans le vouloir vers sa bonne pipe absente, et chaque fois il avait grommelé:

—Sacré gamin!

Deux fois il brancha son appareil sur le standard:

10 —Pas encore de nouvelles de Lucas?

Ce n'était pourtant pas si compliqué de questionner les collègues de Joseph Leroy, au salon de coiffure, et par eux, sans doute, d'arriver à cette Mathilde qui lui écrivait de tendres billets.

D'abord, Joseph avait volé la pipe de Maigret.

15 Ensuite, ce même Joseph, bien que tout habillé, était en pantoufles—si l'on peut appeler ça des pantoufles—la nuit précédente.

Maigret interrompit soudain la lecture d'un procès-verbal, demanda les Sommiers au bout du fil, questionna avec une im- 20 patience qui ne lui était pas habituelle:

—Eh bien! ces Bleustein?

—On y travaille, monsieur le commissaire. Il y en a toute une tapée, des vrais et des faux. On contrôle les dates, les domiciles. En tout cas, je n'en trouve aucun qui ait été inscrit à un moment 25 quelconque au quai de Bercy. Dès que j'aurai quelque chose, je vous préviendrai.

Lucas, enfin, un Lucas suant qui avait eu le temps d'avaler un demi à la Brasserie Dauphine avant de monter.

—On y est,[20] patron. Pas sans mal, je vous assure. J'aurais 30 cru que ça irait tout seul.[21] Ah! bien oui. Notre Joseph est un drôle de pistolet qui ne faisait pas volontiers ses confidences. Imaginez un salon de coiffure tout en longueur.[22] *Palace-Coiffure*, que ça s'appelle, avec quinze ou vingt fauteuils articulés sur un rang, devant les glaces, et autant de commis ... C'est la bousculade

[19] **maille à partir** a bone to pick
[20] **on y est** they've got it
[21] **ça irait tout seul** it would be a cinch
[22] **tout en longueur** long and narrow

du matin au soir, là dedans. Ça[23] entre, ça sort, et je te taille, et je te savonne, et je te lotionne!

»—Joseph? que[24] me dit le patron, un petit gros poivre et sel. Quel Joseph, d'abord? Ah! oui, le Joseph à boutons. Eh bien! qu'est-ce qu'il a fait, Joseph? 5

» Je lui demande la permission de questionner ses employés et me voilà de fauteuil en fauteuil, avec des gens qui échangent des sourires et des clins d'œil.

»—Joseph? Non, je ne l'ai jamais accompagné. Il s'en allait toujours tout seul. S'il avait une poule? C'est possible ... Quoique, 10 avec sa gueule ...

» Et ça rigole.

»—Des confidences? Autant en demander à[25] un cheval de bois. Monsieur avait honte de son métier de coiffeur et il ne se serait pas abaissé à fréquenter des merlans. 15

» Vous voyez le ton, patron. Fallait[26] en outre que j'attende qu'on ait fini un client. Le patron commençait à me trouver encombrant.

» Enfin, j'arrive à la caisse. Une caissière d'une trentaine d'années, rondelette, l'air très doux, très sentimental. 20

»—Joseph a fait des bêtises? qu[27]'elle me demande d'abord.

»—Mais non, mademoiselle. Au contraire. Il avait une liaison[28] dans le quartier, n'est-ce pas? »

Maigret grogne:

—Abrège, tu veux? 25

—D'autant plus qu'il est temps d'y aller, si vous tenez à voir la petite. Bref, c'est par la caissière que Joseph recevait les billets quand sa Mathilde ne pouvait être au rendez-vous. Celui que j'ai déniché dans le paquet de cigarettes doit dater d'avant-hier. C'était un gamin qui entrait vivement dans le salon de coiffure et 30 qui remettait le billet à la caisse en murmurant:

»—Pour M. Joseph.

[23] **ça** people
[24] **que** *do not translate*
[25] **autant en demander à** you might as well expect them from
[26] **fallait = il fallait**
[27] **que** *do not translate*
[28] **liaison** girl friend

» La caissière, par bonheur, a vu le gamin en question pénétrer plusieurs fois dans une maroquinerie du boulevard Bonne-Nouvelle.

» Voilà comment, de fil en aiguille, j'ai fini par dénicher Mathilde.

—Tu ne lui as rien dit, au moins?

—Elle ne sait même pas que je m'occupe d'elle. J'ai simplement demandé à son patron s'il avait une employée nommée Mathilde. Il me l'a désignée à son comptoir. Il voulait l'appeler. Je lui ai demandé de ne rien dire. Si vous voulez ... Il est cinq heures et demie. Dans une demi-heure, le magasin ferme.

~

—Excusez-moi, mademoiselle ...

—Non, monsieur.

—Un mot seulement ...

—Veuillez passer votre chemin.

Une petite bonne femme, assez jolie, d'ailleurs qui s'imaginait que Maigret ... Tant pis!

—Police.

—Comment? Et c'est à moi que ... ?

—Je voudrais vous dire deux mots, oui. Au sujet de votre amoureux.

—Joseph? ... Qu'est-ce qu'il a fait?

—Je l'ignore, mademoiselle. Mais j'aimerais savoir où il se trouve en ce moment.

A cet instant précis, il pensa:

» Zut! La gaffe ... »

Il l'avait faite, comme un débutant. Il s'en rendait compte en la voyant regarder autour d'elle avec inquiétude. Quel besoin avait-il éprouvé de lui parler au lieu de la suivre? Est-ce qu'elle n'avait pas rendez-vous avec lui près du métro? Est-ce qu'elle ne s'attendait pas à l'y trouver? Pourquoi ralentissait-elle le pas au lieu de continuer son chemin.

—Je suppose qu'il est à son travail, comme d'habitude?

—Non, mademoiselle. Et sans doute le savez-vous aussi bien et même mieux que moi.

—Qu'est-ce vous voulez dire?

C'était l'heure de la cohue sur les grands boulevards. De véritables processions se dirigeaient vers les entrées de métro dans lesquelles la foule s'enfournait.

—Restons un moment ici, voulez-vous? disait-il en l'obligeant à demeurer à proximité de la station.

Et elle s'énervait, c'était visible. Elle tournait la tête en tous sens. Elle avait la fraîcheur de ses dix-huit ans, un petit visage rond, un aplomb de petite Parisienne.

—Qui est-ce qui vous a parlé de moi?

—Peu importe. Qu'est-ce que vous savez de Joseph?

—Qu'est-ce que vous lui voulez, que je sache?

Le commissaire aussi épiait la foule, en se disant que, si Joseph l'apercevait avec Mathilde, il s'empresserait sans doute de disparaître.

—Est-ce que votre amoureux vous a jamais parlé d'un prochain changement dans sa situation? Allons! Vous allez mentir, je le sens.

—Pourquoi mentirais-je?

Elle s'était mordu la lèvre.

—Vous voyez bien! Vous questionnez pour avoir le temps de trouver un mensonge.

Elle frappa le trottoir de son talon.

—Et d'abord qui me prouve que vous êtes vraiment de la police?

Il lui montra sa carte.

—Avouez que Joseph souffrait de sa médiocrité.

—Et après?

—Il en souffrait terriblement, exagérément.

—Il n'avait peut-être pas envie de rester garçon coiffeur. Est-ce un crime?

—Vous savez bien que ce n'est pas ce que je veux dire. Il avait horreur de la maison qu'il habitait, de la vie qu'il menait. Il avait même honte de sa mère, n'est-ce pas?

—Il ne me l'a jamais dit.

—Mais vous le sentiez. Alors, ces derniers temps, il a dû vous parler d'un changement d'existence.

—Non.

—Depuis combien de temps vous connaissez-vous?

—Un peu plus de six mois. C'était en hiver. Il est entré dans le magasin pour acheter un portefeuille. J'ai compris qu'il les trouvait trop chers, mais il n'a pas osé me le dire et il en a acheté un. Le soir, je l'ai aperçu sur le trottoir. Il m'a suivie plusieurs jours avant d'oser me parler.

—Où alliez-vous ensemble?

—La plupart du temps, on ne se voyait que quelques minutes dehors. Parfois, il m'accompagnait en métro[29] jusqu'à la station Championnet, où j'habite. Il nous est arrivé d'aller ensemble au cinéma le dimanche, mais c'était difficile, à cause de mes parents.

—Vous n'êtes jamais allée chez lui en l'absence de sa mère?

—Jamais, je le jure. Une fois, il a voulu me montrer sa maison, de loin, pour m'expliquer.

—Qu'il était très malheureux ... Vous voyez?

—Il a fait quelque chose de mal?

—Mais non, petite demoiselle. Il a simplement disparu. Et je compte un peu sur vous, pas beaucoup, je l'avoue, pour le retrouver. Inutile de vous demander s'il avait une chambre en ville.

—On voit bien que vous ne le connaissez pas. D'ailleurs, il n'avait pas assez d'argent. Il remettait tout ce qu'il gagnait à sa mère. Elle lui laissait à peine assez pour acheter quelques cigarettes.

Elle rougit.

—Quand nous allions au cinéma, nous payions chacun notre place et une fois que ...

—Continuez ...

—Mon Dieu, pourquoi pas ... Il n'y a pas de mal à cela ... Une fois, il y a un mois, que nous sommes allés ensemble à la campagne, il n'avait pas assez pour payer le déjeuner.

—De quel côté êtes-vous allés?

—Sur la Marne.[30] Nous sommes descendus du train à Chelles[31] et nous nous sommes promenés entre la Marne et le canal.

—Je vous remercie, mademoiselle.

[29] **en métro** on the (Paris) subway (*from "chemin de fer métropolitain"*)
[30] **la Marne** *river of northern France, tributary of the Seine*
[31] **Chelles** *town on the Marne*

Était-elle soulagée de n'avoir pas aperçu Joseph dans la foule? Dépitée? Les deux, sans doute.

—Pourquoi est-ce la police qui le recherche?

—Parce que sa mère nous l'a demandé. Ne vous inquiétez pas, mademoiselle. Et croyez-moi: si vous avez de ses nouvelles avant 5 nous, avertissez-nous immédiatement.

Quand il se retourna, il la vit qui, hésitante, descendait [32] les marches du métro.

Une fiche l'attendait, sur son bureau du quai des Orfèvres.

Un nommé Bleustein Stéphane, âgé de trente-sept ans, a été 10 *tué le 15 février 1919, dans son appartement de l'hôtel Negresco, à Nice, où il était descendu quelques jours auparavant. Bleustein recevait d'assez fréquentes visites souvent tard dans la nuit. Le crime a été commis à l'aide d'un revolver calibre 6 mm, 35 qui n'a pas été retrouvé.* 15

L'enquête menée à l'époque n'a pas permis de découvrir le coupable. Les bagages de la victime ont été fouillés de fond en comble par l'assassin et, le matin, la chambre était dans un désordre indescriptible.

Quant à Bleustein lui-même, sa personnalité est restée assez 20 *mystérieuse, et c'est en vain qu'on a fait des recherches pour savoir d'où il venait. Lors de son arrivée à Nice, il débarquait du rapide de Paris.*

La brigade mobile [33] *de Nice possède sans doute de plus amples renseignements.* 25

La date de l'assassinat correspondait avec celle de la disparition du Bleustein du quai de Bercy, et Maigret, cherchant une fois de plus sa pipe absente et ne la trouvant pas, grogna avec humeur:

—Sacré petit idiot! 30

[32] **il la vit qui ... descendait** he saw her . . . going down

[33] **brigade mobile** mobile brigade, *a traveling unit of the Sûreté Nationale, approximately equivalent to our FBI*

chapitre 3

Recherches dans l'intérêt des familles

Il y a des ritournelles qui, en chemin de fer, par exemple, s'insinuent si bien en vous et sont si parfaitement adaptées au rythme de la marche qu'il est impossible de s'en défaire. C'était dans un vieux taxi grinçant que celle-ci [1] poursuivit Maigret et le 5 rythme était marqué par le martèlement, sur le toit mou, d'une grosse pluie d'orage:

Re-cher-ches-dans-l'in-té-rêt-des-fa-mil-les. Re-cher-ches-dans-l'in ...

Car, enfin, il n'avait aucune raison d'être ici, à foncer [2] dans 10 l'obscurité de la route avec une jeune fille blême et tendue à côté de lui et le docile petit Lucas sur le strapotin. Quand un personnage comme Mme Leroy vient vous déranger, on ne la laisse même pas achever ses lamentations.

—On ne vous a rien volé, madame? Vous ne portez pas 15 plainte? Dans ce cas, je regrette.

Et si même son fils a disparu:

—Vous dites qu'il est parti? Si nous devions rechercher toutes les personnes qui s'en vont de chez elles, la police entière ne ferait plus que cela, et encore les effectifs [3] seraient-ils insuffisants!

20 « Recherches dans l'intérêt des familles. » C'est ainsi que

[1] **celle-ci** *i.e., the refrain about to be described*
[2] **à foncer** wending his way
[3] **les effectifs** *i.e., all available personnel*

cela s'appelle. Cela ne se fait qu'aux frais de ceux qui réclament ces recherches. Quant aux résultats ...

Toujours de braves gens, d'ailleurs, qu'ils soient vieux ou jeunes, hommes ou femmes, de bonnes têtes,[4] des yeux doux, et un peu ahuris, des voix insistantes et humbles: 5

—« Je vous jure, monsieur le commissaire, que ma femme—et je la connais mieux que personne—n'est pas partie de son plein gré. »

Ou sa fille, « sa fille si innocente, si tendre, si ... »

Et il y en a comme ça des centaines tous les jours. « Recherches dans l'intérêt des familles. » Est-ce la peine de leur dire qu'il vaut mieux pour eux qu'on ne retrouve pas leur femme ou leur fille, ou leur mari, parce que ce serait une désillusion? *Recherches dans* ... 10

Et Maigret s'était encore une fois laissé embarquer! L'auto avait quitté Paris, roulait sur la grand'route, en dehors du ressort de la P.J. Il n'avait rien à faire là. On ne lui rembourserait même pas ses frais. 15

Tout cela à cause d'une pipe. L'orage avait éclaté au moment où il descendait de taxi en face de la maison du quai de Bercy. Quand il avait sonné, Mme Leroy était en train de manger, toute seule dans la cuisine, du pain, du beurre et un hareng saur. Malgré ses inquiétudes, elle avait essayé de cacher le hareng! 20

—Reconnaissez-vous cet homme, madame?

Et elle, sans hésiter, mais avec surprise: 25

—C'est mon ancien locataire, M. Bleustein. C'est drôle ... Sur la photo, il est habillé comme un ...

Comme un homme du monde, oui, tandis qu'à Charenton il avait l'air d'un assez pauvre type. Dire qu[5]'il avait fallu aller chercher la photographie dans la collection d'un grand journal parce que, Dieu sait pourquoi, on ne la retrouvait pas dans les archives. 30

—Qu'est-ce que cela signifie, monsieur le commissaire? Où est cet homme? Qu'est-ce qu'il a fait?

—Il est mort. Dites-moi. Je vois—il jetait un coup d'œil circulaire dans la pièce où armoires et tiroirs avaient été vidés—que 35

[4] **de bonnes têtes** nice faces
[5] **dire que** and to think that

vous avez eu la même idée que moi ...

Elle rougit. Déjà elle se mettait sur la défensive. Mais le commissaire, ce soir, n'était pas patient.

—Vous avez fait l'inventaire de tout ce qu'il y a dans la maison. Ne niez pas. Vous aviez besoin de savoir si votre fils n'a rien emporté, n'est-ce pas? Résultat?

—Rien, je vous jure. Il ne manque rien. Qu'est-ce que vous pensez? Où allez-vous?

Car il s'en allait comme un homme pressé, remontait dans son taxi. Encore du temps perdu et stupidement. Tout à l'heure, il avait la jeune fille en face de lui, boulevard Bonne-Nouvelle. Or il n'avait pas pensé à lui demander son adresse exacte. Et maintenant il avait besoin d'elle. Heureusement que le maroquinier habitait dans l'immeuble.

Taxi à nouveau. De grosses gouttes crépitaient sur le macadam. Les passants couraient. L'auto faisait des embardées.

—Rue Championnet. Au 67 ...

Il faisait irruption dans une petite pièce où quatre personnes: le père, la mère, la fille et un garçon de douze ans mangeaient la soupe autour d'une table ronde. Mathilde se dressait, épouvantée, la bouche ouverte pour un cri.

—Excusez-moi, messieurs-dames. J'ai besoin de votre fille pour reconnaître un client qu'elle a vu au magasin. Voulez-vous, mademoiselle, avoir l'obligeance de me suivre?

Recherches dans l'intérêt des familles! Ah! c'est autre chose que de se trouver devant un brave cadavre qui vous donne tout de suite des indications, ou de courir après un meurtrier dont il n'est pas difficile de deviner les réflexes possibles.

Tandis qu'avec des amateurs! Et ça pleure! [6] Et ça tremble! El il faut prendre garde au papa où à la maman.

—Où allons-nous?

—A Chelles.

—Vous croyez qu'il y est?

—Je n'en sais absolument rien, mademoiselle. Chauffeur ... Passez d'abord au quai des Orfèvres.

Et là, il avait embarqué Lucas qui l'attendait.

Recherches dans l'intérêt des familles. Il était assis dans le

[6] **et ça pleure!** how they weep!

fond de la voiture avec Mathilde, qui avait tendance à se laisser glisser contre lui. De grosses gouttes d'eau perçaient le toit délabré et lui tombaient sur le genou gauche. En face de lui, il voyait le bout incandescent de la cigarette de Lucas.

—Vous vous souvenez bien de Chelles, mademoiselle? 5

—Oh! oui.

Parbleu! est-ce que ce n'était pas son plus beau souvenir d'amour? La seule fois qu'ils s'étaient échappés de Paris, qu'ils avaient couru ensemble parmi les hautes herbes, le long de la rivière! 10

—Vous croyez que, malgré l'obscurité, vous pourrez nous conduire?

—Je crois. A condition que nous partions de la gare. Parce que nous y sommes allés par le train.

—Vous m'avez dit que vous aviez déjeuné dans une auberge? 15

—Une auberge délabrée, oui, tellement sale, tellement sinistre, que nous avions presque peur. Nous avons pris un chemin qui longeait la Marne. A certain moment, le chemin n'a plus été qu'un sentier. Attendez ... Il y a, sur la gauche, un four à chaux abandonné. Puis, peut-être, à cinq cents mètres, une maisonnette 20 à un seul étage. Nous avons été tout surpris de la trouver là.

» ... Nous sommes entrés. Un comptoir de zinc, à droite ... des murs passés à la chaux, [7] avec quelques chromos et seulement deux tables de fer et quelques chaises ... Le type ...

—Vous parlez du patron? 25

—Oui. Un petit brun qui avait plutôt l'air d'autre chose. [8] Je ne sais pas comment vous dire. On se fait des idées. Nous avons demandé si on pouvait manger et il nous a servi du pâté, du saucisson, puis du lapin qu'il avait fait réchauffer. C'était très bon. Le patron a bavardé avec nous, nous a parlé des pêcheurs à la 30 ligne qui forment sa clientèle. D'ailleurs, il y avait tout un tas de cannes à pêche dans un coin. Quand on ne sait pas, on se fait des idées.

—C'est ici? questionna Maigret à travers la vitre, car le chauffeur s'était arrêté. 35

[7] **passés à la chaux** whitewashed
[8] **qui avait plutôt l'air d'autre chose** who didn't look the part (*lit.*, who looked, rather, like something else)

Une petite gare. Quelques lumières dans le noir.

—A droite, dit la jeune fille. Puis encore la seconde à droite. C'est là que nous avons demandé notre chemin. Mais pourquoi pensez-vous que Joseph est venu par ici?

5 Pour rien! Ou plutôt à cause de la pipe, mais ça, il n'osait pas le dire.

Recherches dans l'intérêt des familles! De quoi faire bien rire de lui.[9] Et pourtant ...

—Tout droit maintenant, chauffeur, intervenait Mathilde. 10 Jusqu'à ce que vous trouviez la rivière. Il y a un pont, mais, au lieu de le passer, vous tournerez à gauche. Attention, la route n'est pas large.

—Avouez, mon petit, que votre Joseph, ces derniers temps, vous a parlé d'un changement possible et même probable dans 15 sa situation.

Plus tard, peut-être deviendrait-elle aussi coriace que la mère Leroy. Est-ce que la mère Leroy n'avait pas été une jeune fille, elle aussi, et tendre, et sans doute jolie?

—Il avait de l'ambition.

20 —Je ne parle pas de l'avenir. Je parle de tout de suite.

—Il voulait être autre chose que coiffeur.

—Et il s'attendait à avoir de l'argent, n'est-ce pas?

Elle était à la torture. Elle avait une telle peur de trahir son Joseph!

25 La voiture, au ralenti, suivait un mauvais chemin le long de la Marne, et on voyait, à gauche, quelques pavillons miteux, de rares villas plus prétentieuses. Une lumière, par-ci par-là, ou un chien qui aboyait. Puis, soudain, à un kilomètre du pont environ, les ornières s'approfondissaient, le taxi s'arrêtait, le chauffeur 30 annonçait:

—Je ne peux pas aller plus loin.

Il pleuvait de plus belle. Quand ils sortirent de l'auto, l'averse les inonda et tout était mouillé, visqueux, le sol qui glissait sous leurs pieds, les buissons qui les caressaient au passage.[10] Un peu 35 plus loin, il leur fallut marcher à la file indienne, tandis que le

[9] **de quoi faire bien rire de lui** something to make people laugh at him
[10] **au passage** as they went by

chauffeur s'asseyait en grommelant dans sa voiture et se préparait sans doute à faire un somme.

—C'est drôle. Je croyais que c'était plus près. Vous ne voyez pas encore de maison?

La Marne coulait tout près d'eux. Leurs pieds faisaient éclater [11] des flaques d'eau. Maigret marchait devant, écartait les branches. Mathilde le serrait de près et Lucas fermait la marche [12] avec l'indifférence d'un chien de Terre-Neuve.

La jeune fille commençait à avoir peur.

—J'ai pourtant reconnu le pont et le four à chaux. Ce n'est pas possible que nous nous soyons trompés.

—Il y a de bonnes raisons, grogna Maigret, pour que le temps vous semble plus long aujourd'hui que quand vous êtes venue avec Joseph ... Tenez ... On voit une lumière, à gauche.

—C'est sûrement là.

—Chut! Tâchez de ne pas faire de bruit.

—Vous croyez que ... ?

Et lui, soudain tranchant:

—Je ne crois rien du tout. Je ne crois jamais rien, mademoiselle.

Il les laissa arriver à sa hauteur,[13] parla bas à Lucas.

—Tu vas attendre ici avec la petite. Ne bougez que si j'appelle. Penchez-vous, Mathilde. D'ici, on aperçoit la façade. La reconnaissez-vous?

—Oui. Je jurerais.

Déjà le large dos de Maigret formait écran entre elle et la petite lumière.

Et elle se trouva seule, les vêtements trempés, en pleine nuit, sous la pluie, au bord de l'eau, avec un petit homme qu'elle ne connaissait pas et qui fumait tranquillement cigarette sur cigarette.

[11] **faisaient éclater** splashed in
[12] **fermait la marche** brought up the rear
[13] **arriver à sa hauteur** to catch up with him

chapitre 4

Le Rendez-vous des pêcheurs

Mathilde n'avait pas exagéré en affirmant que l'endroit était inquiétant, sinon sinistre. Une sorte de tonnelle délabrée flanquait la maisonnette aux vitres grises dont les volets étaient fermés. La porte était ouverte, car l'orage commençait seulement à rafraîchir
5 l'air.

Une lumière jaunâtre éclairait un plancher sale. Maigret jaillit brusquement de l'obscurité, s'encadra, plus grand que nature, dans la porte et, la pipe aux lèvres, toucha le bord de son chapeau en murmurant:
10 —Bonsoir, messieurs.

Il y avait là deux hommes qui bavardaient à une table de fer sur laquelle on voyait une bouteille de marc et deux verres épais. L'un d'eux, un petit brun en bras de chemise, dressa tranquillement la tête, montra un regard un peu étonné, se leva en remon-
15 tant [1] son pantalon sur ses hanches et murmura:

—Bonsoir ...

L'autre tournait le dos, mais ce n'était évidemment pas Joseph Leroy. Sa carrure était imposante. Il portait un complet gris très clair. Chose curieuse, malgré ce qu'il y avait d'un peu
20 intempestif dans cette irruption tardive, il ne bougeait pas: on eût même dit qu'il s'efforçait de ne pas tressaillir. Une horloge-réclame,[2] en faïence, accrochée au mur, marquait minuit dix,

[1] **en remontant** hitching up
[2] **horloge-réclame** *clock whose dial bears advertising matter*

mais il devait être plus tard. Était-il naturel que l'homme n'eût même pas la curiosité de se retourner pour voir qui entrait?

Maigret restait debout à proximité du comptoir, tandis que l'eau dégoulinait de ses vêtements et faisait des taches sombres sur le plancher gris.

—Vous aurez une chambre pour moi, patron?

Et l'autre, pour gagner du temps, prenait place[3] derrière son comptoir où il n'y avait que trois ou quatre bouteilles douteuses sur l'étagère, questionnait à son tour:

—Je vous sers quelque chose?

—Si vous y tenez. Je vous ai demandé si vous aviez une chambre.

—Malheureusement non. Vous êtes venu à pied?

Au tour de Maigret[4] de ne pas répondre et de dire:

—Un marc.

—Il me semblait avoir entendu un moteur d'auto.

—C'est bien possible. Vous avez une chambre ou non?

Toujours ce dos à quelques mètres de lui, un dos si immobile qu'on l'aurait cru taillé dans la pierre. Il n'y avait pas l'électricité. La pièce n'était éclairée que par une méchante lampe à pétrole.

Si l'homme ne s'était pas retourné ... S'il conservait une immobilité si rigoureuse et si pénible ...

Maigret se sentait inquiet. Il venait de calculer rapidement qu'étant donnée la dimension du café et de la cuisine, qu'on apercevait derrière, il devait y avoir au moins trois chambres à l'étage.[5] Il aurait juré, à voir le patron, à l'aspect miteux des lieux, à une certaine qualité de désordre, d'abandon, qu'il n'y avait pas de femme dans la maison.

Or on venait de marcher au-dessus de sa tête, à pas furtifs. Cela devait avoir une certaine importance, puisque le patron levait machinalement la tête et paraissait contrarié.

—Vous avez beaucoup de locataires en ce moment?

—Personne. A part ...

Il désignait l'homme, ou plutôt le dos immuable, et, soudain, Maigret eut l'intuition d'un danger sérieux, il comprit qu'il fallait

[3] **prenait place = prenait sa place**
[4] **au tour de Maigret** it was Maigret's turn
[5] **à l'étage** upstairs

agir très vite, sans un faux mouvement. Il eut le temps de voir la main de l'homme, sur la table, se rapprocher de la lampe et il fit un bond en avant.

Il arriva trop tard. La lampe s'était écrasée sur le sol avec un bruit de verre brisé, tandis qu'une odeur de pétrole envahissait la pièce.

—Je me doutais bien que je te connaissais, salaud.

Il était parvenu à saisir l'homme par son veston. Il tentait d'avoir une meilleure prise, mais l'autre frappait pour se dégager. Ils étaient dans l'obscurité totale. A peine si le rectangle de la porte se dessinait [6] dans une vague lueur de nuit. Que faisait le patron? Allait-il venir à la rescousse de son client?

Maigret frappa à son tour. Puis il sentit qu'on lui mordait la main et alors il se jeta de tout son poids sur son adversaire et tous deux roulèrent sur le plancher, parmi les débris de verre.

—Lucas! cria Maigret de toutes ses forces. Lucas ...

L'homme était armé, Maigret sentait la forme dure d'un revolver dans la poche du veston et il s'efforçait d'empêcher une main de se glisser dans cette poche.

Non, le patron ne bougeait pas. On ne l'entendait pas. Il devait rester immobile, peut-être indifférent, derrière son comptoir.

—Lucas! ...

—J'arrive, patron.

Lucas courait, dehors, dans les flaques d'eau, dans les ornières, et répétait:

—Je vous dis de rester là. Vous entendez? Je vous défends de me suivre.

A Mathilde, sans doute, qui devait être blême de frayeur.

—Si tu as encore le malheur de mordre, sale bête, je t'écrase la gueule.[7] Compris?

Et le coude de Maigret empêchait le revolver de sortir de la poche. L'homme était aussi vigoureux que lui. Dans l'obscurité, tout seul, le commissaire n'en aurait peut-être pas eu raison.[8] Ils

[6] **à peine si le rectangle ... se dessinait** the rectangle . . . could scarcely be made out

[7] **je t'écrase la gueule** I'll bash your ugly face in

[8] **n'en aurait pas ... eu raison** would not have got the better of him

avaient heurté la table, qui s'était renversée sur eux.

—Ici Lucas. Ta lampe électrique.[9]

—Voilà, patron.

Et soudain un faisceau de lumière blême éclairait les deux hommes aux membres emmêlés.

—Sacrebleu! Nicolas! Comme on se retrouve, hein!

—Si vous croyez que je ne vous avais pas reconnu, moi, rien qu'à votre voix.

—Un coup de main, Lucas. L'animal est dangereux. Tape un bon coup dessus pour le calmer. Tape. N'aie pas peur. C'est un dur ...

Et Lucas frappa aussi fort qu'il put, avec sa petite matraque de caoutchouc, sur le crâne de l'homme.

—Tes menottes. Passe.[10] Si je m'attendais à retrouver cette sale bête ici. Là, ça y est. Tu peux te relever, Nicolas. Pas la peine de faire croire que t'es évanoui. Tu as la tête plus solide que ça. Patron!

Il dut appeler une seconde fois, et ce fut assez étrange d'entendre la voix paisible du tenancier qui s'élevait de l'obscurité, du côté du zinc: [11]

—Messieurs ...

—Il n'y a pas une autre lampe, on une bougie dans la maison?

—Je vais vous chercher une bougie. Si vous voulez bien éclairer la cuisine.

Maigret étanchait de son mouchoir son poignet que l'autre avait vigoureusement mordu. On entendait sangloter près de la porte. Mathilde sans doute, qui ne savait pas ce qui se passait et qui croyait peut-être que c'était avec Joseph que le commissaire ...

—Entrez, mon petit. N'ayez pas peur. Je crois que c'est bientôt fini. Toi, Nicolas, assieds-toi ici et, si tu as le malheur de bouger ...

Il posa son revolver et celui de son adversaire sur une table à portée de sa main. Le patron revenait avec sa bougie, aussi calme que si rien ne s'était passé.

—Maintenant, lui dit Maigret, va me chercher le jeune

[9] **lampe électrique** flashlight
[10] **passe** slip them on him
[11] **zinc** bar

homme.

Un temps d'hésitation. Est-ce qu'il allait nier?

—Je te dis d'aller me chercher le jeune homme, compris?

Et, tandis qu'il faisait quelques pas vers la porte:

5 —Est-ce qu'il a une pipe, au moins?

Entre deux sanglots, la jeune fille questionnait:

—Vous êtes sûr qu'il est ici et qu'il ne lui est rien arrivé?

Maigret ne répondait pas, tendait l'oreille. Le patron, là-haut, frappait à une porte. Il parlait à mi-voix, avec insistance.
10 On reconnaissait des bribes de phrases:

—Ce sont des messieurs de Paris et une demoiselle. Vous pouvez ouvrir. Je vous jure que ...

Et Mathilde, éplorée:

—S'ils l'avaient tué ...

15 Maigret haussa les épaules et se dirigea à son tours vers l'escalier.

—Attention au colis,[12] Lucas. Tu as reconnu notre vieil ami Nicolas, n'est-ce pas? Moi qui le croyais toujours à Fresnes!

Il montait l'escalier lentement, écartait le patron penché sur
20 la porte.

—C'est moi, Joseph. Le commissaire Maigret. Vous pouvez ouvrir, jeune homme.

Et, au patron:

—Qu'est-ce que vous attendez pour descendre, vous? Allez
25 servir quelque chose à la jeune fille, un grog, n'importe quoi de remontant. Eh bien! Joseph!

Une clef tourna enfin dans la serrure. Maigret poussa la porte.

—Il n'y a pas de lumière?

—Attendez. Je vais allumer. Il reste un petit bout de bougie.

30 Les mains de Joseph tremblaient, son visage, quand la flamme de la bougie l'éclaira, révélait la terreur.

—Il est toujours en bas? haleta-t-il.

Et des mots en désordre, des idées qui se bousculaient:

—Comment avez-vous pu me trouver? Qu'est-ce qu'ils vous
35 ont dit? Qui est la demoiselle?

[12] **attention au colis** take care of the prisoner (*lit.*, parcel)

Une chambre de campagne, un lit très haut, défait, une commode qui avait dû être précédemment tirée devant la porte comme pour un siège en règle.

—Où les avez-vous mis? questionna Maigret de l'air le plus naturel du monde. 5

Joseph le regarda, stupéfait, comprit que le commissaire savait tout. Il n'aurait pas regardé autrement Dieu le Père faisant irruption dans la chambre.

Avec des gestes fébriles, il fouilla dans la poche-revolver de son pantalon, en tira un tout petit paquet fait de papier journal. 10

Il avait les cheveux en désordre, les vêtements fripés. Le commissaire regarda machinalement ses pieds, qui n'étaient chaussés que de pantoufles informes.

—Ma pipe ...

Cette fois, le gamin eut envie de pleurer et ses lèvres se 15 gonflèrent en une moue enfantine. Maigret se demanda même s'il n'allait pas se jeter à genoux et demander pardon.

—Du calme, jeune homme, lui conseilla-t-il. Il y a du monde en bas.

Et il prit en souriant la pipe que l'autre lui tendait en trem- 20 blant de plus belle.

—Chut! Mathilde est dans l'escalier. Elle n'a pas la patience d'attendre que nous descendions. Donnez-vous un coup de peigne.

Il souleva un broc pour verser de l'eau dans la cuvette, mais 25 le broc était vide.

—Pas d'eau? s'étonna le commissaire.

—Je l'ai bue.

Mais oui! Evidemment! Comment n'y avait-il pas pensé? Ce visage pâle, des traits tirés, ses yeux comme délavés. 30

—Vous avez faim?

Et, sans se retourner, à Mathilde dont il sentait la présence dans l'obscurité du palier:

—Entrez, mon petit ... Pas trop d'effusions, si vous voulez m'en croire.[13] Il vous aime bien, c'est entendu, mais, avant tout, 35 je pense qu'il a besoin de manger.

[13] **si vous voulez m'en croire** if you'll take my advice

chapitre 5

L'Extravagante Fuite de Joseph

C'était bon, maintenant, d'entendre la pluie pianoter sur le feuillage alentour et surtout de recevoir par la porte grande ouverte l'haleine humide et fraîche de la nuit.

Malgré son appétit, Joseph avait eu de la peine à manger le
5 sandwich au pâté que le patron lui avait préparé, tant il avait la gorge serrée, et on voyait encore de temps en temps sa pomme d'Adam monter et descendre.

Quant à Maigret, il en était à son deuxième ou troisième verre de marc et il fumait maintenant sa bonne pipe enfin retrouvée.

10 —Voyez-vous, jeune homme, ceci dit sans vous encourager aux menus larcins,[1] si vous n'aviez pas chipé ma pipe, je crois bien qu'on aurait retrouvé votre corps un jour ou l'autre dans les roseaux de la Marne. La pipe de Maigret, hein!

Et, ma foi, Maigret disait ces mots avec une certaine satis-
15 faction, en homme chez qui l'orgueil est assez agréablement chatouillé. On lui avait chipé sa pipe, comme d'autres chipent le crayon d'un grand écrivain, un pinceau d'un peintre illustre, un mouchoir ou quelque menu objet d'une vedette favorite.

Cela, le commissaire l'avait compris dès le premier jour.
20 « Recherches dans l'intérêt des familles » ... Une affaire dont il n'aurait même pas dû s'occuper.

[1] **ceci dit ... menus larcins** and I don't say this to encourage petty larceny on your part

Oui, mais voilà, un jeune homme qui souffrait du sentiment de sa médiocrité lui avait chipé sa pipe. Et ce jeune homme-là, la nuit suivante, avait disparu. Ce jeune homme, toujours, avait essayé de dissuader sa mère de s'adresser à la police.

Parce qu'il tenait à faire l'enquête lui-même, parbleu! Parce qu'il s'en sentait capable! Parce que, la pipe de Maigret aux dents, il se croyait ...

—Quand avez-vous compris que c'étaient des diamants que le mystérieux visiteur venait chercher dans votre maison?

Joseph faillit mentir, par gloriole, puis il se ravisa après avoir jeté un coup d'œil à Mathilde.

—Je ne savais pas que c'étaient des diamants. C'était fatalement [2] quelque chose de petit, car on fouillait dans les moindres recoins, on ouvrait même des boîtes minuscules qui contenaient de la pharmacie.

—Dis donc, Nicolas! Hé! Nicolas!

Celui-ci, tassé sur une chaise, dans un coin, ses poings réunis par les menottes sur les genoux, regardait farouchement devant lui.

—Quand tu as tué Bleustein, à Nice ...

Il ne broncha pas. Pas un trait de son visage osseux ne bougea.

—Tu entends que je te parle, oui, ou plutôt que je te cause, comme tu dirais élégamment. Quand tu as descendu Bleustein, au *Negresco,* tu n'as pas compris qu'il te roulait? Tu ne veux pas te mettre à table? Bon! Ça viendra. Qu'est-ce qu'il t'a dit, Bleustein? Que les diamants étaient dans la maison du quai de Bercy. Entendu! Mais tu aurais dû te douter que ces petits machins-là, c'est facile à cacher. Peut-être qu'il t'avait désigné une fausse cachette? Ou que tu t'es cru plus malin que tu ne l'es? Mais non! Ne parle pas tant. Je ne te demande pas d'où provenaient les diamants. Nous saurons ça demain, après que les experts les auront examinés.

» Pas de chance que, juste à ce moment-là, tu te sois fait emballer pour une vieille affaire. De quoi s'agissait-il encore? un cambriolage boulevard Saint-Martin, si je ne me trompe? Au fait! encore une bijouterie. Quand on se spécialise, n'est-ce pas? ... Tu

[2] **c'était fatalement** it had to be

as tiré trois ans.[3] Et voilà trois mois, une fois à l'air libre, tu es venu rôder autour de la maison. Tu avais la clef que Bleustein s'était fabriquée! ... Tu dis? ... Bien! Comme tu voudras. »

Le jeune homme et la jeune fille le regardaient avec étonnement. Ils ne pouvaient pas comprendre l'enjouement subit de Maigret, parce qu'ils ne savaient pas quelles inquiétudes il avait ressenties pendant les dernières heures.

—Vois-tu, Joseph. Tiens! voilà que je te tutoie, maintenant. Tout cela, c'était du facile. Un inconnu qui s'introduit dans une maison trois ans après que cette maison ne prend plus de locataires ... J'ai tout de suite pensé à quelqu'un qui sortait de prison. Une maladie n'aurait pas duré trois ans. J'aurais dû examiner tout de suite les listes de levées d'écrou [4] et je serais tombé sur notre ami Nicolas ... Tu as du feu, Lucas? Mes allumettes sont détrempées.

» Et maintenant, Joseph, raconte-nous ce qui s'est passé pendant la fameuse nuit.

—J'étais décidé à trouver. Je pensais que c'était quelque chose de très précieux, que cela représentait une fortune ...

—Et, comme ta maman m'avait mis sur l'affaire, tu as voulu trouver coûte que coûte cette nuit-là?

Il baissa la tête.

—Et, pour ne pas être dérangé, tu as versé Dieu sait quoi dans la tisane de ta maman.

Il ne nia pas. Sa pomme d'Adam montait et descendait à un rythme accéléré.

—Je voulais tant vivre autrement! balbutia-t-il à voix si basse qu'on l'entendit à peine.

—Tu es descendu, en pantoufles. Pourquoi étais-tu si sûr de trouver cette nuit-là?

—Parce que j'avais déjà fouillé toute la maison, sauf la salle à manger. J'avais divisé les pièces en secteurs. J'étais certain que ce ne pouvait être que dans la salle à manger.

Une nuance d'orgueil perçait à travers son humilité et son abattement quand il déclara:

—J'ai trouvé!

—Où?

[3] **tu as tiré trois ans** you "got" three years
[4] **levées d'écrou** prison discharges

—Vous avez peut-être remarqué que, dans la salle à manger, il y a une ancienne suspension à gaz, avec des bobèches et des fausses bougies en porcelaine. Je ne sais pas comment l'idée m'est venue de démonter les bougies. Il y avait dedans des petits papiers roulés et, dans les papiers, des objets durs. 5

—Un instant! En descendant de ta chambre, qu'est-ce que tu comptais faire en cas de réussite?

—Je ne sais pas.

—Tu ne comptais pas partir?

—Non, je le jure. 10

—Mais peut-être cacher le magot ailleurs?

—Oui.

—Dans la maison?

—Non. Parce que je m'attendais à ce que vous veniez la fouiller à votre tour et que j'étais sûr que vous trouveriez. Je les 15 aurais cachés au salon de coiffure. Puis, plus tard ...

Nicolas ricana. Le patron, accoudé à son comptoir, ne bougeait pas et sa chemise faisait une tache blanche dans la pénombre.

—Quand tu as découvert le truc des bobèches ... 20

—J'étais en train de remettre la dernière en place lorsque j'ai senti qu'il y avait quelqu'un près de moi. J'ai d'abord cru que c'était maman. J'ai éteint ma lampe électrique, car je m'éclairais avec une lampe de poche. Il y avait un homme qui se rapprochait toujours, et alors je me suis précipité vers la porte et j'ai bondi 25 dans la rue. J'avais très peur. J'ai couru. La porte s'est refermée brutalement. J'étais en pantoufles, sans chapeau, sans cravate. Je courais toujours et j'entendais des pas derrière moi.

—Pas aussi rapide à la course [5] que ce jeune lévrier, Nicolas! persifla Maigret. 30

—Vers la Bastille,[6] il y avait une ronde d'agents.[7] J'ai marché non loin d'eux, sûr que l'homme n'oserait pas m'attaquer à ce moment. Je suis arrivé ainsi près de la gare de l'Est, et c'est ce qui m'a donné l'idée ...

[5] **pas aussi rapide à la course** [you are] not as fast a runner
[6] **la Bastille = la place de la Bastille** (*there is a commemorative column in the middle of the square where this building formerly stood*)
[7] **ronde d'agents** police patrol

—L'idée de Chelles, oui! Un tendre souvenir! Ensuite?

—Je suis resté dans la salle d'attente jusqu'à cinq heures du matin. Il y avait du monde. Or, tant qu'il y avait du monde autour de moi ...

5 —J'ai compris.

—Seulement, je ne savais pas qui me poursuivait. Je regardais les gens les uns après les autres. Quand on a ouvert le guichet, je me suis faufilé entre deux femmes. J'ai demandé mon billet à voix basse. Plusieurs trains partaient à peu près en même temps. Je 10 montais tantôt dans un, tantôt dans l'autre, en passant à contrevoie.

—Dis donc, Nicolas, il me semble que ce gamin-là t'a donné encore plus de mal qu'à moi!

—Tant qu'il ne savait pas pour où était mon billet, n'est-ce 15 pas? A Chelles, j'ai attendu que le train soit déjà en marche pour descendre.

—Pas mal! Pas mal!

—Je me suis précipité hors de la gare. Il n'y avait personne dans les rues. Je me suis mis à nouveau à courir. Je n'entendais 20 personne derrière moi. Je suis arrivé ici. J'ai tout de suite demandé une chambre, parce que je n'en pouvais plus et que j'avais hâte de me débarrasser de ...

Il en tremblait encore en parlant.

—Ma mère ne me laisse jamais beaucoup d'argent en poche. 25 Dans la chambre, je me suis aperçu que je n'avais plus que quinze francs et quelques jetons.[8] Je voulais repartir, être à la maison avant que maman ...

—Et Nicolas est arrivé.

—Je l'ai vu par la fenêtre, qui descendait de taxi à cinq cents 30 mètres d'ici. J'ai compris tout de suite qu'il avait été jusqu'à Lagny, qu'il y avait pris une voiture, qu'à Chelles il avait retrouvé ma trace. Alors, je me suis enfermé à clef. Puis, quand j'ai entendu des pas dans l'escalier, j'ai tiré la commode devant la porte. J'étais sûr qu'il me tuerait.

35 —Sans hésiter, grogna Maigret. Seulement, voilà, il ne voulait pas se brûler devant le patron. N'est-ce pas, Nicolas? Alors il s'est

[8] **jetons** tokens (*in France, public telephones are activated not by coins, but by tokens*)

installé ici, pensant bien que tu sortirais de ta chambre à un moment donné ... Ne fût-ce que pour manger.

—Je n'ai rien mangé. J'avais peur aussi qu'il prenne une échelle et qu'il entre la nuit par la fenêtre. C'est pourquoi j'ai tenu les volets fermés. Je n'osais pas dormir. 5

On entendait des pas dehors. C'était le chauffeur qui, l'orage passé, commençait à s'inquiéter de ses clients.

Alors Maigret frappa sa pipe à petits coups sur son talon, la bourra, la caressa avec complaisance.

—Si tu avais eu le malheur de la casser ... grogna-t-il. 10

Puis, sans transition:

—Allons, mes enfants, en route! Au fait, Joseph, qu'est-ce que tu vas raconter à ta mère?

—Je ne sais pas. Ce sera terrible.

—Mais non, mais non! Tu es descendu dans la salle à 15 manger pour jouer au détective. Tu as vu un homme qui sortait. Tu l'as suivi, tout fier de faire le policier.

Pour la première fois, Nicolas ouvrit la bouche. Ce fut pour laisser tomber avec mépris:

—Si vous croyez que je vais entrer dans la combine! 20

Et Maigret, imperturbable:

—Nous verrons ça tout à l'heure, n'est-ce pas, Nicolas? En tête à tête, dans mon bureau ... Dites donc, chauffeur, je crois qu'on va être plutôt serrés dans votre bagnole! On y va?

Un peu plus tard, il soufflait à l'oreille de Joseph, blotti dans 25 un coin de la banquette avec Mathilde:

—Je te donnerai une autre pipe, va! Et encore plus grosse, si tu veux.

—Seulement, répliquait le gamin, ce ne sera pas la vôtre!

Sous Peine de mort

chapitre 1

L'Oeil de l'un et la jambe de l'autre

Le premier message, une carte postale en couleurs qui représentait le palais du Négus, à Addis-Abéba,[1] et qui portait un timbre d'Éthiopie, disait:

« *On finit par se retrouver, crapule. Sous peine de mort, te souviens-tu?* 5

» *Ton vieux:* JULES. »

Cela datait de sept mois. Au fait, Oscar Labro avait reçu cette carte quelques semaines après le mariage de sa fille. A cette époque-là, il avait encore l'habitude de se lever à cinq heures du matin pour aller à la pêche à bord de son bateau. Quand il en 10 revenait, vers onze heures, le facteur était presque toujours passé et avait posé le courrier sur la tablette du portemanteau, dans le corridor.

C'était l'heure aussi à laquelle Mme Labro, au premier étage, faisait les chambres. Était-elle descendue alors que la carte se 15 trouvait, bien en évidence, avec ses couleurs violentes, sur la tablette? Elle ne lui en dit rien. Il l'épia en vain. Est-ce que le facteur—qui était menuisier dans l'après-midi—avait lu la carte? Et la postière, Mlle Marthe?

M. Labro alla encore quelquefois à la pêche, mais il en 20 revenait plus tôt et, dès dix heures, avant le départ du facteur

[1] **le palais du Négus, à Addis-Abéba** *the imperial palace at Addis Ababa, capital and largest city of Ethiopia*

pour sa tournée, il était au bureau de poste, à attendre que Mlle Marthe eût fini de trier [2] le courrier. Il la regardait faire [3] à travers le grillage.

—Rien pour moi?

5 —Les journaux et des prospectus, monsieur Labro. Une lettre de votre fille ...

Donc, elle avait le temps d'examiner les enveloppes, de lire ce qui y était écrit, de reconnaître les écritures.

Enfin, le quinzième jour, il y eut une seconde carte postale 10 et la postière prononça le plus naturellement du monde [4] en la lui tendant:

—Tiens! [5] C'est du fou ...[6]

Donc, elle avait lu la première. Celle-ci ne venait plus d'Éthiopie, mais de Djibouti,[7] dont elle représentait la gare 15 blanche inondée de soleil.

« Espère, mon cochon.[8] On se reverra [9] un jour. Sous peine de mort, tu comprends. Bien le bonjour de [10]

« JULES. »

—C'est un ami qui vous fait une farce,[11] n'est-ce pas?

20 —Une farce qui n'est même pas spirituelle, répliqua-t-il.

En tout cas, Jules se rapprochait. Un mois plus tard, il s'était rapproché davantage, puisque sa troisième carte, une vue de port, cette fois, était datée de Port-Saïd.[12]

« Je ne t'oublie pas, va! [13] *Sous peine de mort, mon vieux.*

[2] **à attendre que ... trier** waiting for Mlle Marthe to finish sorting
[3] **il la regardait faire** he watched her work
[4] **le plus naturellement du monde** as naturally as you please (as could be)
[5] **tiens!** well! say!
[6] **c'est du fou** it's from the crazy fellow
[7] **Djibouti** *port in French Somaliland, about 360 miles northeast of Addis Ababa, with which it is linked by rail*
[8] **mon cochon** old buddy
[9] **on se reverra** we'll see each other again
[10] **bien le bonjour de** a hearty greeting from
[11] **qui vous fait une farce** who's playing a trick on you
[12] **Port-Saïd** *Egyptian port on the Mediterranean at the entrance to the Suez Canal*
[13] **va!** you see!

C'est le cas de le dire,[14] *pas vrai? Ton sacré*

» JULES. »

Et, de ce jour, M. Labro cessa d'aller à la pêche. De Port-Saïd à Marseille, il n'y a guère que quatre ou cinq jours de navigation, selon les bateaux.[15] De Marseille à Porquerolles,[16] on en a pour quelques heures seulement,[17] par le train ou par l'autocar.

Chaque matin, désormais, on vit M. Labro sortir de chez lui vers huit heures, en pyjama, en robe de chambre, les pieds nus dans ses savates. Si la place de Porquerolles est une des plus ravissantes du monde, avec son encadrement de petites maisons claires, peintes en vert pâle, en bleu, en jaune, en rose, la maison de M. Labro était la plus jolie maison de la place, et on la reconnaissait de loin à[18] sa véranda encadrée de géraniums rouges.

En fumant sa première pipe, M. Labro descendait vers le port, c'est-à-dire qu'il parcourait cent mètres à peine, tournait à droite devant l'hôtel et découvrait la mer.

Il avait l'air, déambulant ainsi, d'un paisible bourgeois, d'un heureux retraité qui flâne. Ils étaient quelques-uns, d'ailleurs, à se grouper[19] à cette heure-là près de la jetée. Les pêcheurs qui venaient de rentrer triaient le poisson ou commençaient à réparer les filets. Le gérant de la Coopérative attendait avec sa charrette à bras. L'homme de peine de l'*Hôtel du Langoustier,* situé au bout du pays, stationnait avec sa charrette tirée par un âne.

Dans une île qui ne compte que quatre cents habitants, tout le monde se connaît,* tout le monde s'interpelle par son nom ou par son prénom. Il n'y avait guère que Labro qu'on appelait

[14] **c'est le cas de le dire** you can say that again

[15] **De Port-Saïd à Marseille ... selon les bateaux** It takes scarcely more than four or five days to get from Port-Saïd to Marseilles by sea, depending on the ship

[16] **Porquerolles** *one of the Hyères Islands in the Mediterranean, just off the coast of France*

[17] **on en a pour quelques heures seulement** it takes only a few hours

[18] **à** by

[19] **ils étaient quelques-uns à se grouper** there were a few of them who congregated

* **tout le monde se connaît** (*see* **exercise 9**)

monsieur,[20] parce qu'il ne faisait rien, parce qu'il avait de l'argent, et aussi parce qu'il avait été pendant quatre ans le maire de l'île.

—Pas à la pêche, monsieur Labro?

Et lui [21] grognait quelque chose, n'importe quoi. A cette heure-là, le *Cormoran*, qui avait quitté Porquerolles une demi-heure plus tôt, abordait à la pointe de Giens,[22] là-bas, de l'autre côté de l'eau miroitante, sur le continent, en France, comme disaient les gens de l'île. On le voyait, petite tache blanche. Selon le temps qu'il restait amarré, on savait s'il embarquait beaucoup de passagers et de marchandises ou s'il revenait presque à vide.

Cent soixante-huit fois, matin après matin, M. Labro était venu de la sorte à son mystérieux rendez-vous. Chaque matin, il avait vu le *Cormoran* se détacher de la pointe de Giens et piquer vers l'île, dans le soleil; il l'avait vu grossir, il avait distingué peu à peu les silhouettes sur le pont. Et, à la fin, on reconnaissait tous les visages, on commençait à s'interpeller pendant la manœuvre d'accostage.

Le gérant de la Coopérative montait à bord pour décharger ses caisses et ses barils, le facteur entassait ses sacs de courrier sur une brouette, des familles de touristes prenaient déjà des photographies et suivaient le pisteur de l'hôtel.

Cent soixante-huit fois! Sous peine de mort, comme disait Jules!

Tout à côté de l'emplacement réservé au *Cormoran*, il y avait, au bout d'un filin qui se tendait et se détendait, selon la respiration de la mer, le bateau de M. Labro, un bateau qu'il avait fait construire sur le continent, le plus joli bateau de pêche qui fût,[23] si joli, si méticuleusement verni, si bien astiqué, tellement garni de glaces et de cuivres qu'on l'avait surnommé *l'Armoire à Glace*.

Pendant des années, mois après mois, M. Labro y [24] avait apporté des perfectionnements pour le rendre plus plaisant à l'œil et plus confortable. Bien que le bateau ne mesurât que cinq

[20] **il n'y avait guère ... appelait monsieur** Labro was about the only one who was called "monsieur"

[21] **lui** *stressed pronoun*

[22] **Giens** *rocky peninsula northwest of Porquerolles on the French mainland (Department of the Var)*

[23] **le plus joli bateau de pêche qui fût** the prettiest fishing boat ever

[24] **y** *refers to the boat*

mètres, il l'avait surmonté d'une cabine où il pouvait se tenir debout, d'une cabine aux glaces biseautées [25]—vraiment comme un buffet plutôt que comme une armoire.

Cent soixante-huit jours que son bateau ne servait plus, que lui-même venait là, en pyjama, en savates, qu'il suivait ensuite la brouette du facteur pour être le premier servi à la poste.

Il dut attendre près de six mois une quatrième carte, d'Alexandrie, Égypte.

« *Désespère pas,*[26] *vieille branche!* [27] *Sous peine de mort, plus que jamais! Le soleil tape dur, ici.*

» JULES. »

Qu'est-ce qu'il pouvait bien faire en route? [28] Et d'abord, qu'est-ce qu'il faisait dans la vie? [29] Comment était-il? [30] Quel âge avait-il? Une cinquantaine d'années au moins, puisque M. Labro avait cinquante ans.

Naples. Puis Gênes.[31] Il devait cheminer en prenant successivement des cargos. Mais pourquoi s'arrêter plusieurs semaines à chaque escale?

« *J'arrive, voyou de mon cœur.*[32] *Sous peine de mort, évidemment.*

» JULES. »

Un timbre portugais, tout à coup. Ainsi, Jules ne s'était pas arrêté à Marseille. Il faisait un détour. Il s'éloignait.

Aïe! Bordeaux ... Il se rapprochait à nouveau. Une nuit en chemin de fer. Mais non, puisque la carte suivante venait de Boulogne et qu'ensuite c'était Anvers.[33]

[25] **aux glaces biseautées** with beveled windows
[26] **ne désespère pas**
[27] **vieille branche** old bean
[28] **qu'est-ce qu'il pouvait bien faire en route?** what the deuce was he doing on the way?
[29] **qu'est-ce qu'il faisait dans la vie?** what did he do for a living?
[30] **comment était-il?** what was he like?
[31] **Gênes** Genoa
[32] **voyou de mon cœur** you dirty crook
[33] **Boulogne ... Anvers** Boulogne-sur-mer (*French port on the English Channel*) . . . Antwerp (*obviously, Jules is heading north*)

« *T'impatiente pas,*[34] *mignon chéri. On a le temps. Sous peine de mort.*

» JULES. »

—Il est rigolo, votre ami, disait la postière qui en était venue 5 à guetter les cartes postales.

Est-ce qu'elle en parlait à d'autres? [35]

Or voilà que, ce mercredi-là, par un matin merveilleux, par une mer d'huile, sans une ride sur l'eau d'un bleu exaltant, l'événement se produisit soudain.

10 Jules était là! Labro en eut la certitude alors que le *Cormoran* était encore à plus d'un mille de la jetée et qu'on ne le voyait guère plus gros qu'un bateau d'enfant.[36] On distinguait une silhouette sombre à l'avant comme une figure de poupe, une silhouette qui, à cette distance, paraissait énorme.

15 Pourquoi Labro avait-il toujours pensé que l'homme serait énorme? Et il grandissait à vue d'œil. Il se tenait toujours immobile, debout au-dessus de l'étrave qui fendait l'eau et s'en faisait des moustaches d'argent.

Un instant,[37] l'ancien maire de Porquerolles retira ses lunettes 20 noires, qu'il posait sur la table de nuit en se couchant et qu'il mettait dès son réveil. Pendant le temps qu'il essuya ses verres embués, on put voir son œil qui vivait, l'autre, à moitié fermé, qui était mort depuis longtemps.[38]

Il rajusta les lunettes d'un [39] mouvement lent, presque solen- 25 nel, et il tira machinalement sur sa pipe éteinte.

Il était grand et large, lui aussi, puissant, mais empâté. L'homme à la proue du *Cormoran*, était plus grand que lui et plus épais, coiffé d'un large chapeau de paille, vêtu d'un pantalon de toile brune et d'un veston noir en alpaga. Ces vêtements, très 30 amples et très mous, le faisaient paraître encore plus massif. Et aussi son immobilité qui n'était pas celle de tout le monde.

[34] **ne t'impatiente pas**

[35] **d'autres** other people

[36] **on ne le voyait ... d'enfant** it appeared scarcely larger than a toy boat

[37] **un instant** for a moment

[38] **qui était mort depuis longtemps** which had ceased to function a long time ago

[39] **d'un** with a

Quand le bateau fut assez près, quand on put se voir en détail, il bougea enfin, comme s'il se détachait de son socle. Il marcha sur le pont et, pour marcher, il soulevait très haut l'épaule droite. Tout son côté droit se soulevait d'un même bloc [40] qu'il laissait retomber ensuite. 5

Il s'approchait de Baptiste, le capitaine du *Cormoran,* visible dans sa cabine de verre. Il lui parlait, et déjà Labro aurait voulu entendre le son de sa voix. Il désignait d'un [41] mouvement de la tête les silhouettes rangées sur le quai et Baptiste étendait la main, le montrant du doigt, lui, Labro, en prononçant sans doute: 10

—C'est celui-là.

Puis Baptiste visait autre chose du bout de son index, *l'Armoire à Glace,* expliquant vraisemblablement:

—Et voilà son bateau ...

Les gens faisaient leurs gestes, disaient les mots de tous les 15 jours. On lançait l'aussière qu'un pêcheur fixait à sa bitte. Le *Cormoran* battait en arrière, accostait enfin, et l'homme attendait tranquillement, immobile, avec l'air de ne rien regarder de précis.[42]

Pour descendre à terre, il dut lever très haut sa jambe droite, 20 et l'on comprit alors que c'était un pilon de bois. Il en martela le sol de la jetée. Il se retourna pendant qu'un matelot faisait glisser une vieille malle qui paraissait très lourde et qui avait été si malmenée pendant sa longue existence qu'on avait dû la consolider avec des cordes. 25

M. Labro ne remuait pas plus qu'un lapin hypnotisé par un serpent. Ils étaient à quelques mètres l'un de l'autre,[43] celui qui n'avait qu'une jambe et celui qui n'avait qu'un œil, et leurs silhouettes se ressemblaient: c'étaient deux hommes du même âge, de même carrure, de même force. 30

De sa démarche,[44] que la jambe de bois rendait si caractéristique, Jules fit encore quelques pas. Il devait y avoir là une

[40] **d'un même bloc** all of a piece
[41] **d'un** with a
[42] **avec l'air de ne rien regarder de précis** seeming not to look at anything in particular
[43] **ils étaient à quelques mètres l'un de l'autre** they were a few yards apart
[44] **de sa démarche** in his manner of walking

quarantaine de personnes, les pêcheurs dans leurs barques, l'homme de la Coopérative, quelques curieux, Maurice, de *l'Arche de Noé,* qui attendait du ravitaillement pour son restaurant. Il y avait aussi une petite fille en rouge, la fille de l'ancien légionnaire, qui suçait un bonbon vert.

Jules, qui s'était arrêté, tirait quelque chose de sa poche, un énorme couteau à cran d'arrêt. Il avait l'air de le caresser. Il l'ouvrait. Puis il se penchait. Il devait avoir perdu la jambe jusqu'au haut de la cuisse, car il était obligé de se plier en deux comme un pantin.

A travers ses lunettes noires, Labro regardait, sidéré, sans comprendre. Il pensait seulement, dans ce matin idéalement clair et tout peuplé de bruits familiers:

—Sous peine de mort ...

L'amarre de *l'Armoire à Glace* était lovée au quai. D'un seul coup de son couteau à lame monstrueusement large, Jules la trancha et le bateau esquissa un petit saut [45] avant de dériver sur l'eau calme.

Alors on les regarda tous les deux, l'homme à l'œil unique et l'homme à la jambe de bois. On les regarda et on sentit confusément qu'ils avaient un compte à régler entre eux.

Si saugrenu qu'eût été le geste,[46] et justement peut-être parce qu'il était saugrenu, parce que c'était le geste le plus inattendu et le plus ridicule du monde, ceux qui étaient là furent impressionnés et seule la petite fille en rouge commença un éclat de rire qu'elle ne finit pas.

Jambe de Bois s'était redressé, satisfait, semblait-il. Il les regardait avec satisfaction, tout en refermant lentement son gros couteau, et, quand un pêcheur voulut [47] rattraper avec sa gaffe le bateau qui commençait à s'éloigner, il se contenta de prononcer:

—Laisse ça, petit ...[48]

Pas méchamment. Pas durement. Et pourtant c'était si catégorique que l'homme n'insista pas, que personne ne chercha à

[45] **esquissa un petit saut** gave a slight lurch
[46] **si saugrenu qu'eût été le geste** however absurd the gesture might have been
[47] **voulut** tried
[48] **laisse ça, petit** never mind that, boy

empêcher *l'Armoire à Glace* de dériver.

Surtout que,[49] tout de suite après, M. Labro prononçait:

—Laisse, Vial ...

On se rendait compte aussi, vaguement, de quelque chose d'extraordinaire. Ils avaient parlé, N'a-qu'un-œil et N'a-qu'une-jambe,[50] sur le même ton, d'une voix presque pareille, et tous les deux avaient le même accent, l'accent du Midi.[51] 5

Même Labro, dont le front était couvert de gouttes de sueur, avait enregistré cet accent, et cela lui était allé jusqu'au cœur.

Trois pas ... Quatre pas ... Le mouvement de l'épaule et de la hanche, le heurt du pilon, la voix, à nouveau, qu'on aurait pu croire cordiale, qu'on aurait pu croire joyeuse, et qui lançait: 10

—Salut, Oscar!

La pipe ne quitta pas les dents de Labro, qui fut pendant quelques instants changé en statue. 15

—Je suis venu, tu vois!

Est-ce que tous les gestes étaient vraiment suspendus autour d'eux? Du fond de la gorge arriva la voix de l'homme aux lunettes noires.

—Venez chez moi. 20

—Tu ne me tutoies pas?

Un silence. La pomme d'Adam qui montait et descendait. La pipe qui tremblait.

—Viens chez moi.

—A la bonne heure! ... C'est plus gentil ... 25

Et l'autre l'examinait des pieds à la tête, avançait le bras pour toucher le pyjama, désignait les sandales.

—Tu te lèves tard, dis donc! ... Pas encore fait ta toilette ...

On put croire que Labro allait faire des excuses.

—Cela ne fait rien. Cela ne fait rien. Dites donc, vous, le petit, là ... Oui, le cuisinier ... 30

C'était Maurice, le propriétaire de *l'Arche,* qui était en effet de petite taille et qui portait un costume blanc de cuisinier, qu'il

[49] **surtout parce que**

[50] **N'a-qu'un-oeil et N'a-qu'une-jambe** One-eye and Peg-leg

[51] **l'accent du Midi** *a Southern accent, characterized in French by a sing-song inflection, frequent pronunciation of the mute e and of the n in nasal vowels*

interpellait de la sorte.

—Vous ferez porter ma malle chez vous et vous me donnerez votre meilleure chambre ...

Maurice regarda Labro. Labro lui fit signe d'accepter.

5 —Bien, monsieur ...

—Jules ...

—Pardon?

—Je dis que je m'appelle Jules ... Dis-leur, Oscar, que je m'appelle Jules ...

10 —Il s'appelle Jules, répéta docilement l'ancien maire.

—Tu viens, Oscar?

—Je viens ...

—T'as [52] de mauvais yeux, dis donc! Retire un moment tes verres, que [53] je les voie ...

15 Il hésita, les retira, montrant son œil crevé. L'autre émit un petit sifflement comme admiratif.

—C'est rigolo, tu ne trouves pas? [54] T'as qu'un œil, et moi je n'ai qu'une jambe ...

Il avait pris le bras de son compagnon, comme on fait avec 20 un vieil ami. Il s'était mis en route, de sa démarche saccadée dont Labro ressentait à chaque pas le contre-coup.

—J'aime mieux être à *l'Arche* que chez toi, tu comprends? J'ai horreur de déranger les gens. Puis ta femme n'est pas rigolote.

Sa voix résonnait, formidable, avec quelque chose d'agressif, 25 de méchant et de comique tout ensemble dans le calme absolu de l'air.

—Je me suis renseigné à bord ... C'est ce vieux singe-là qui m'a donné des tuyaux ...

Le vieux singe, c'était Baptiste, le capitaine du *Cormoran*, au 30 visage brique couvert de poils grisâtres. Baptiste grogna. Labro n'osa pas le regarder.

—Tu sais, tu peux leur dire de ramener ton bateau ... Nous en aurons besoin tous les deux ... Parce que, moi aussi, j'aime la pêche ... Dis-leur! [55]... Qu'est-ce que tu attends pour leur dire?

[52] **t'as = tu as**

[53] **que = pour que**

[54] **tu ne trouves pas?** don't you agree?

[55] **dis-leur = dis-le-leur**

—Vial! ... Tu ramèneras mon bateau!

La sueur lui coulait sur le front, sur le visage, entre les omoplates. Ses lunettes en [56] glissaient sur l'arête mouillée de son nez.

—On va casser la croûte, dis? ... C'est joli, ici ... 5

Un petit bout de route en pente, qu'ils gravissaient lentement, lourdement, comme pour donner plus de poids à cette minute. La place, avec ses rangs d'eucalyptus devant les maisons de couleur tendre.

—Montre-moi la tienne ... C'est celle-ci? Tu aimes les géraniums, à [57] ce que je vois ... Dis donc, il y a ta femme qui nous regarde ... 10

On voyait Mme Labro, en bigoudis, à la fenêtre du premier étage où elle venait d'étendre la literie pour l'aérer.

—C'est vrai, qu'elle n'est pas commode? ... Est-ce qu'elle sera furieuse si nous allons fêter ça par un coup de blanc? 15

A ce moment-là, M. Labro, malgré ses cinquante ans, malgré sa taille, son poids, sa force, malgré la considération dont il jouissait comme homme riche et comme ancien maire, à ce moment-là, à huit heures et demie exactement, devant la petite église jaune qui avait l'air d'un jeu de cubes, devant tout le monde, M. Labro eut envie de se laisser tomber à genoux et de balbutier: 20

—Pitié ...

Il faillit faire pis. Il en eut vraiment la tentation. Il fut sur le point de supplier: 25

—Tuez-moi tout de suite ...

Ce n'est pas par respect humain qu'il ne le fit pas. C'est parce qu'il ne savait plus où il en était,[58] parce qu'il n'était plus le maître de son corps ni de ses pensées, parce que l'autre lui tenait toujours le bras, s'y appuyant à chaque pas et l'entraînant lentement, inexorablement, vers la terrasse rouge et verte de *l'Arche de Noé*. 30

—Tu dois venir souvent ici, pas vrai?

Et lui, comme un élève répond à son instituteur: 35

[56] **en** *because of the perspiration*
[57] **à** judging from
[58] **où il en était** which end was up

—Plusieurs fois par jour.

—Tu bois?

—Non ... Pas beaucoup ...

—Tu te saoules?

—Jamais ...

—Moi, cela m'arrive ... Tu verras ... N'aie pas peur ... Quelqu'un, là dedans! [59]

Et il poussait son compagnon devant lui dans la salle du café, vers le bar dont les nickels brillaient dans la pénombre. Une jeune serveuse jaillissait de la cuisine et ne savait encore rien.

—Bonjour, monsieur Labro ...

—Moi, on m'appelle Jules ... Donne-nous une bouteille de vin blanc, petite ... Et quelque chose à manger ...

Elle regarda Labro.

—Des anchois? questionna-t-elle.

—Bon. Je vois qu'Oscar aime les anchois. Va pour des anchois.[60] Sers-nous sur la terrasse ...

Pour s'asseoir, ou plutôt pour se laisser tomber dans un fauteuil d'osier, il allongea sa jambe de bois qui resta inerte en travers du chemin. Il s'épongea avec un grand mouchoir rouge, car il avait chaud, lui aussi.

Puis il cracha, se râcla longuement la gorge, comme d'autres se gargarisent ou se lavent les dents, en faisant des bruits incongrus.

Enfin, il parut satisfait, porta le verre à ses lèvres, regarda le vin blanc en transparence et soupira:

—Ça va mieux! ... A la tienne, Oscar ... Je me suis toujours dit que je te retrouverais un jour ... Sous peine de mort, tu te souviens? ... C'est marrant ... Je ne savais pas du tout comment tu étais ...

Il le regarda à nouveau, avec une sorte de satisfaction, voire de jubilation.

—T'es plus gras que moi ... Car moi, ce n'est que du muscle ...

Et il bombait ses biceps.

—Tâte ... Mais si ...[61] N'aie pas peur de tâter ... Je ne connaissais que ton nom et ton prénom ... ce que tu avais écrit sur

[59] **quelqu'un, là dedans!** anybody in here?
[60] **va pour des anchois** anchovies it is
[61] **mais si** go ahead

la pancarte. Et tu n'es pas un homme célèbre dont on parle dans les journaux ... Il y a quarante millions de Français ... Devine comment je t'ai retrouvé ... Allons! ... Devine ...

—Je ne sais pas ...

Labro s'efforçait de sourire, comme pour apaiser le dragon. 5

—A cause de ta fille,* Yvonne ...

Il fut encore plus inquiet, un moment, se demanda comment sa fille ...

—Quand tu l'as mariée, il y a environ neuf mois ... Tiens, au fait, pas encore de résultats? ... Je disais que, quand tu l'as mariée, 10 tu as voulu offrir une noce à tout casser et on en a parlé en première page d'un journal qui s'appelle *Le Petit Var* ... Ça s'imprime à Toulon,[62] n'est-ce pas? ... Eh bien! figure-toi que, là-bas, à Addis-Abéba, vit un type de par ici qui, après vingt ans d'Afrique, est encore abonné au *Petit Var* ... J'ai lu un numéro qui 15 traînait chez lui ... J'ai lu ton nom ... Je me suis souvenu de la pancarte ...

Il avait froncé les sourcils. Son visage était devenu plus dur. Il regardait l'autre en face, férocement, avec toujours, dans sa physionomie, quelque chose de sarcastique. 20

—Tu te souviens, toi?

Puis, avec une cordialité bourrue:

—Bois ton verre ... Sous peine de mort, hein! ... Je ne m'en dédis pas ... Bois, te dis-je ... Ce n'est pas encore le petit coup de rhum ... Comment s'appelle-t-elle, la petite qui nous sert? 25

—Jojo ...

—Jojo! ... Viens ici, ma jolie ... Et apporte-nous une nouvelle bouteille ... Oscar a soif ...

[62] **Toulon** *French naval base on the Mediterranean (Department of the Var), northwest of Porquerolles*

* **à cause de ta fille** (*see* **exercise 8**)

chapitre 2

La Pancarte dans l'Umbolé[1]

Toutes les cinq minutes, l'homme à la jambe de bois saisissait son verre qu'il vidait d'un trait, et commandait d'un ton sans réplique:

—Bois ton verre, Oscar.

5 Et M. Labro buvait, de sorte qu'à la troisième bouteille il voyait peu distinctement, à travers l'embrasement de la place, les aiguilles de l'horloge au clocher de la petite église. Était-il dix heures? Onze heures? Renversé en arrière, fumant jusqu'à l'extrême bout des cigarettes qu'il roulait lui-même, Jules questionnait 10 d'une voix bourrue:

—D'où es-tu?

—Du Pont-du-Las, dans la banlieue de Toulon.

—Connais![2] Moi, je suis de Marseille, quartier Saint-Charles.

Il éprouvait une joie évidente à faire[3] cette constatation. 15 Mais sa joie, comme toutes les manifestations de sa vitalité, avait quelque chose d'effrayant. Même quand il paraissait s'attendrir sur son compagnon, il le regardait un peu avec la commisération qu'on éprouverait pour un insecte qu'on va écraser.

—Parents riches?

[1] **l'Umbolé** *a swampy region in the Gabon, a former French colony in Equatorial Africa, now independent*
[2] **connais** = **je le connais**
[3] **à faire** in making

—Pauvres ... Moyens ... Enfin, plutôt pauvres ...
—Comme moi. Mauvais élève, je parie.
—Je n'ai jamais été fort en mathématiques.
—Toujours comme moi. Bois ton verre. Je te dis de boire ton verre! Comment es-tu parti là-bas? [4] 5
—Pour une compagnie de Marseille, la S.A.C.O.[5] Tout de suite après mon service militaire.
Il s'inquiéta aussi de savoir lequel des deux était le plus vieux. C'était M. Labro, d'un an, et cela parut lui faire plaisir.
—En somme, nous aurions pu nous rencontrer sur le bateau, 10 comme, avant, nous aurions pu nous rencontrer au régiment. Crevant, hein? Une autre bouteille, Jojo chérie ...
Et, parce que l'autre tressaillait:
—T'en fais pas! [6] J'ai l'habitude. Sans compter qu'il vaut mieux pour toi que je sois saoul, parce qu'alors je deviens 15 sentimental ...
Des gens allaient et venaient autour d'eux: des pêcheurs entraient chez Maurice pour boire un coup, d'autres jouaient aux boules dans le soleil; tout le monde connaissait Labro qui était là, à une place à laquelle on était habitué à le voir. Or personne ne 20 pouvait lui venir en aide. On lui adressait le bonjour de la main,[7] on l'interpollait et, tout ce qu'il avait le droit de faire, c'était d'étirer ses lèvres dans un semblant de sourire.
—En somme, quand tu as fait ton sale coup, tu avais vingt-deux ans ... Qu'est-ce que tu fricotais [8] dans le marais d'Umbolé? 25
—La Société m'avait chargé, parce que j'étais jeune et vigoureux, de prospecter les villages les plus éloignés pour organiser le ramassage de l'huile de palme. Au Gabon,[9] au plus chaud, au plus malsain, au plus mauvais de la forêt équatoriale.[10]
—T'étais quand même pas seul? 30

[4] **comment es-tu parti la-bas?** what took you down there?
[5] **S.A.C.O.** *corporations in France take the legal name "Société Anonyme" (limited liability), hence the first two letters of this fictitious firm*
[6] **t'en fais pas!** don't worry!
[7] **on lui adressait le bonjour de la main** people waved hello
[8] **qu'est-ce que tu fricotais** what the devil were you up to
[9] **Gabon** *see n. 1, p. 114*
[10] **au plus chaud ... équatoriale** in the hottest, most unhealthy part of the jungle

—Un cuisinier et deux pagayeurs m'accompagnaient.

—Et t'avais perdu ta pirogue? ... Réponds ... Attends ... Bois d'abord ... Bois, ou je te casse la gueule! [11]

Il but et faillit s'étrangler. C'était tout son corps, à présent, qui était couvert de sueur, comme là-bas, au Gabon, mais cette sueur-ci était froide. Pourtant, il n'eut pas le courage de mentir. Il y avait trop pensé depuis, des nuits et des nuits, quand il ne trouvait pas le sommeil. Sans « cela », il aurait été un honnête homme et, par surcroît, un homme heureux. Cela lui venait tous les deux ou trois mois, à l'improviste, et c'était toujours tellement la même chose qu'il appelait ça *son cauchemar.*

—Je n'avais pas perdu ma pirogue, avoua-t-il.

L'autre le regardait en fronçant les sourcils, hésitant à comprendre, à croire.

—Alors?

—Alors rien ... Il faisait chaud ... Je crois que j'avais la fièvre ... Nous nous battions depuis trois jours avec les insectes ...

—Moi aussi ...

—J'avais vingt-deux ans ...

—Moi aussi ... Encore moins ...

—Je ne connaissais pas l'Afrique ...

—Et moi? ... Bois! ... Bois vite, sacrebleu! ... Tu avais ta pirogue et, malgré cela ...

Comment M. Labro, ancien maire de Porquerolles, allait-il pouvoir expliquer, ici, dans la quiète atmosphère de son île, cette chose inconcevable?

—J'avais un nègre, le pagayeur, qui se tenait le plus près de moi, un Pahouin,[12] qui sentait mauvais ...

C'était la vraie cause de son crime. Car il avait conscience d'avoir commis un crime et il ne se [13] cherchait pas d'excuses. S'il avait simplement tué un homme trente ans plus tôt, il n'y penserait peut-être plus. Il avait fait pis, il le savait.

—Continue ... Ainsi, tu ne supportais pas l'odeur des Pahouins, petite nature! ...[14]

[11] **je te casse la gueule!** (*vulgar*) I'll bash your face in!

[12] **un Pahouin** *native of the Ouellé River region*

[13] **se** for himself

[14] **petite nature** weakling

Les marais d'Umbolé ... Des canaux, des rivières d'une eau bourbeuse où de grosses bulles éclataient sans cesse à la surface, où grouillaient des bêtes de toutes sortes ... Et pas un coin de vraie terre ferme, des rives basses, couvertes d'une végétation si serrée qu'on pouvait à peine y pénétrer ... Les insectes, nuit et jour, si féroces qu'il vivait la plupart du temps le visage entouré d'une moustiquaire sous laquelle il étouffait ...

On pouvait naviguer des journées sans rencontrer une hutte, un être humain, et voilà qu'entre les racines d'un palétuvier il apercevait une pirogue et, sur cette pirogue, un écriteau:

Défense de chiper cette embarcation, sous peine de mort.
Signé: JULES.

—Et aussi, dit-il rêveusement, parce que les mots « sous peine de mort » étaient soulignés deux fois.

Ces mots absurdes, en lettres qui imitaient l'imprimé, là, en pleine forêt équatoriale, à des centaines de kilomètres de toute civilisation, de tout gendarme! Alors, il lui était venu une idée absurde aussi, comme il vous en pousse par cinquante-cinq degrés à l'ombre.[15] Son nègre puait. Ses jambes, qu'il devait tenir repliées, s'ankylosaient. S'il prenait cette pirogue et s'il l'attachait à la première, il serait seul, royalement, pour la suite du voyage, et il ne sentirait plus l'odeur.

Sous peine de mort? Tant pis! Justement parce que c'était sous peine de mort!

—Et tu l'as prise ...

—Je vous demande pardon ...

—Je t'ai déjà dit de me tutoyer. Entre nous, c'est plus convenable. Moi, quand je suis revenu après avoir chassé de quoi manger, car je crevais de faim depuis plusieurs jours, je me suis trouvé prisonnier dans une sorte d'île ...

—Je ne savais pas ...

Non seulement il l'avait prise, mais son démon l'avait poussé à répondre à l'injonction de l'inconnu par une grossièreté. Sur la

[15] **comme il vous en pousse par cinquante-cinq degrés à l'ombre** as they are wont to pop into one's head when the temperature is fifty-five degrees (*centigrade*) in the shade (*about 131° Fahrenheit*)

pancarte même, qu'il avait laissée bien en évidence à la place de la pirogue, il avait écrit:

Je t'emmerde! [16]

Et il avait signé bravement: *Oscar Labro.*

—Je vous demande pardon, répétait maintenant l'homme de cinquante ans qu'il était devenu.

— ... avec des crocodiles dans l'eau tout autour ...

—Oui ...

— ... des serpents et de sales araignées à terre ... Et mes porteurs noirs qui m'avaient lâché depuis plusieurs jours ... J'étais tout seul, fiston!

—Je vous demande encore pardon ...

—Tu es une crapule, Oscar.

—Oui.

—Une fameuse, une immense, une gigantesque crapule. Et pourtant, t'es heureux ...

En disant cela, il regardait la jolie maison rose entourée de géraniums, et Mme Labro, qui venait de temps en temps jeter un coup d'œil à la fenêtre. Est-ce que Labro allait nier? Allait-il répondre qu'il n'était pas si heureux que ça? Il n'osait pas. Cela lui paraissait lâche.

Tapant sur sa jambe de bois, Jules grondait.

—J'y ai laissé ça ...

Et Labro n'osait pas non plus demander comment, si c'était en cherchant à fuir, dans la gueule d'un crocodile, par exemple, ou si sa jambe s'était infectée.

—Depuis, je suis fichu ... Tu ne t'es pas demandé pourquoi, aprés ma première carte, celle d'Addis-Abéba, je ne suis pas venu tout de suite? ... Cela a dû te donner de l'espoir, je parie ... Eh bien! c'est que [17] je n'avais pas un sou, que je devais tirer mon plan pour gagner ma croûte en chemin ... Avec mon pilon, tu comprends?

Chose curieuse, il était beaucoup moins menaçant que tout à l'heure et, par instants, à les voir, on eût pu [18] les prendre pour

[16] **je t'emmerde!** *an obscenity*
[17] **c'est que** the reason is that
[18] **eût pu = aurait pu**

deux vieux amis. Il se penchait sur Labro, saisissait le revers de sa robe de chambre, approchait son visage du sien.

—Une autre bouteille! ... Mais oui, je bois ... Et tu boiras avec moi chaque fois que j'en aurai envie ... C'est bien le moins,[19] n'est-ce pas? Ton œil, à toi?

—Un accident ... répondit Labro, honteux de n'avoir pas perdu son œil dans la forêt où l'autre avait laissé sa jambe.

—Un accident de quoi?

—En débouchant une bouteille ... Une bouteille de vinaigre, pour ma femme ... Le goulot a éclaté et j'ai reçu un morceau de verre dans l'œil ...

—Bien fait! [20] T'es resté longtemps en Afrique?

—Dix ans ... Trois termes de trois ans, avec [21] les congés ... Puis on m'a nommé à Marseille ...

—Où tu es devenu quelque chose comme directeur?

—Sous-directeur adjoint ... J'ai pris ma retraite il y a cinq ans, à cause de mon œil ...

—T'es riche? Prospère?

Alors, M. Labro eut un espoir. Un espoir et en même temps une inquiétude. L'espoir de s'en tirer avec de l'argent. Pourquoi pas, après tout? Même au tribunal, quand on parle de peine de mort, cela ne veut pas toujours dire qu'on exécute les condamnés. Il y a le bagne, la prison, les amendes.

Pourquoi pas une amende? Seulement, il n'osait pas citer de chiffres, craignant que l'autre ne devînt trop gourmand.

—Je vis à mon aise ...

—Tu as des rentes, quoi! Combien de dot as-tu donné à ton Yvonne de fille?

—Une petite maison à Hyères ...[22]

—Tu en as d'autres, des maisons?

—Deux autres ... Elles ne sont pas grandes ...

—T'es avare?

—Je ne sais pas ...

—D'ailleurs, cela n'a pas d'importance, car ça ne change

[19] **c'est bien le moins** that's the least you can do
[20] **bien fait!** serves you right!
[21] **avec** in addition to
[22] **Hyères** *a town in southern France, near Toulon (Department of the Var)*

rien ...

Que voulait-il dire? Qu'il ne voulait pas d'argent? Qu'il s'en tenait à son invraisemblable peine de mort?

—Tu comprends, Oscar, moi, je ne reviens jamais sur ce que j'ai décidé. Une seule parole![23] Seulement, j'ai le temps ...

Il ne rêvait pas. La place était bien là, un peu trouble, mais elle était là. Les voix qu'il entendait autour de lui, à la terrasse et dans le café, étaient les voix de ses amis. Vial, pieds nus, un filet de pêche sur le dos, lui lança en passant:

—Le bateau est en ordre, monsieur Labro.

Et il répondit sans le savoir:

—Merci, Vial ...

Personne, pas un homme ne se doutait qu'il était condamné à mort. Devant les juges, tout au moins, il existe des recours. On a des avocats. Les journalistes sont là, qui mettent l'opinion publique au courant. La pire des crapules parvient à inspirer des sympathies ou de la pitié.

—En somme, cela dépendra surtout de ton île, tu comprends?

Non, il ne comprenait pas. Et il voyait à nouveau la bouteille se pencher, son verre se remplir; un regard irrésistible lui enjoignait de le porter à ses lèvres et de boire.

—La même chose, Jojo! ...

Il se débattait. Cinq bouteilles, c'était impossible. Il n'en avait jamais autant bu en une semaine. En outre, son estomac n'était pas, n'avait jamais été fameux, surtout depuis l'Afrique.

—Elle est bien, la chambre? J'espère qu'elle donne sur la place?

—Sûrement. Je vais le demander à Maurice ...

Une chance de s'éloigner un instant, d'entrer seul dans l'ombre fraîche du café, de respirer ailleurs que sous l'œil féroce et sarcastique de Jules. Mais l'autre le fit rasseoir en lui posant sur l'épaule une main lourde comme du plomb.

—On verra ça tout à l'heure ... Il est possible que je me plaise ici et, dans ce cas, ça nous laissera un bout de temps devant nous ...

Est-ce que Labro pouvait voir dans ces paroles une petite

[23] **une seule parole!** not a single word!

lueur d'espoir? A bien y réfléchir,[24] Jules n'avait aucun intérêt à le tuer. Il cherchait à se faire entretenir, simplement, à vivre ici à ses crochets.

—Ne pense pas ça, Oscar. Tu ne me connais pas encore.

Labro n'avait rien dit. Les traits de son visage n'avaient pas bougé et on ne pouvait voir ses yeux, son œil plutôt, à travers ses lunettes sombres. Comment son interlocuteur avait-il deviné?

—J'ai dit *sous peine de mort*, pas vrai? Mais, en attendant, cela ne nous empêche pas de faire connaissance. Au fond, nous ne savions rien l'un de l'autre.* Tu aurais pu être petit et maigre, ou chauve, ou roux ... Tu aurais pu être une crapule encore plus crapule [25] que jadis ... Tu aurais pu être aussi un type du Nord, ou un Breton ... Et voilà que c'est tout juste si nous ne sommes pas allés [26] à l'école ensemble! ... C'est vrai, que ta femme n'est pas commode? ... Je parie qu'elle va t'engueuler parce que tu sens le bouchon et que tu es resté jusqu'à midi en pyjama à la terrasse ... C'est marrant, d'ailleurs, de te voir comme ça à cette heure-ci ... Jojo! ...

—Je vous en supplie ...

—La dernière ... Une bouteille, Jojo! ... Qu'est-ce que je te disais? ... Ah! oui, que nous avons le temps de lier connaissance ... Tiens, la pêche ... Je n'ai jamais eu le temps d'aller à la pêche, ni l'occasion ... Demain, tu m'apprendras ... On prend vraiment du poisson?

—Vraiment.

Tu en prends, toi?

—Moi aussi ... Comme les autres ...

—Nous irons ... Nous emporterons des bouteilles ... Tu joues aux boules? ... Bon ... je l'aurais parié ... Tu m'apprendras à jouer aux boules également ... C'est toujours autant de temps de [27] gagné, hein? ... A ta santé! ... Sous peine de mort, ne l'oublie pas ... Et maintenant, je monte me coucher ...

—Sans manger? ne put s'empêcher de s'exclamer M. Labro.

[24] **à bien y réfléchir** considering the matter thoroughly
[25] **une crapule encore plus crapule** even more of a scoundrel
[26] **c'est tout juste si nous ne sommes pas allés** we barely missed going
[27] **de** *do not translate*
* **nous ne savions rien l'un de l'autre** (*see* **exercise 19**)

—Cette petite Jojo me montera à déjeuner dans ma chambre ...

Il se leva, souffla, amorça son balancement, se mit en branle en direction de la porte qu'il faillit rater. Un rire fusa de quelque part et il se retourna, l'œil féroce, puis s'adressa enfin à Labro.

—Faudra voir à ce que[28] cela n'arrive plus ...

Il traversa le café, entra dans la cuisine, sans s'inquiéter de ceux qui le regardaient, souleva le couvercle des casseroles et commanda:

—Ma chambre ...

—Bien, monsieur Jules ...

On entendit son pilon sur les marches, puis sur le plancher. On écoutait. Il devait s'écraser de tout son poids sur le lit, sans se donner la peine de se déshabiller.

—D'où sort-il?[29] questionna Maurice en redescendant. Si ce type-là compte rester ici ...

Alors on vit M. Labro prendre presque la silhouette de l'autre, parler comme l'autre, d'un ton qui n'admettait pas de réplique; on l'entendit qui disait:

—Il faudra bien ...[30]

Après quoi il fit demi-tour et, toujours en pyjama et en savates, traversa la place sous le chaud soleil de midi. Une tache claire, sur son seuil, parmi les géraniums: sa femme qui l'attendait. Et, bien qu'il ne cessât de la fixer et qu'il bandât toute sa volonté pour marcher droit, bien qu'il la visât aussi exactement que possible, il décrivit plusieurs courbes avant de l'atteindre.

—Qu'est-ce qui t'a pris? Qu'est-ce que tu faisais à la terrasse dans cette tenue? Quelle est cette histoire d'amarre coupée que le marchand de légumes m'a racontée? Qui est ce type?

Comme il ne pouvait pas répondre à toutes ces questions à la fois, il se contenta de répondre à la dernière.

—C'est un ami, dit-il.

Et, parce que le vin le rendait emphatique, il ajouta, appuyant sur les syllabes avec une obstination d'ivrogne:

—C'est mon meilleur ami ... C'est plus qu'un ami ... C'est un

[28] **faudra voir à ce que** you'd better see to it that
[29] **d'où sort-il?** who does he think he is?
[30] **il faudra bien** you bet he does

frère, tu entends? ... Je ne permettrai à personne ...

S'il l'avait pu, il serait monté se coucher sans manger, lui aussi, mais sa femme ne l'eût pas permis.

A cinq heures de l'après-midi, ce jour-là, à *l'Arche de Noé,* on n'entendait toujours aucun bruit dans la chambre du nouveau 5 locataire, sinon un ronflement.

Et quand, à la même heure, les habitués de la partie de boules[31] vinrent frapper chez M. Labro, ce fut Mme Labro qui entr'ouvrit la porte et qui murmura, honteuse:

—Chut! ... Il dort ... Il n'est pas dans son assiette, aujour- 10 d'hui ...

[31] **les habitués de la partie de boules** those who came regularly to bowl

chapitre 3

Les Idées du bourreau

—Accroche-moi une nouvelle piade,[1] Oscar.

Les deux hommes étaient dans le bateau que la respiration régulière et lente de la mer soulevait à un rythme lénifiant. A cette heure-là, presque toujours, l'eau était lisse comme du satin, car la brise ne se levait que longtemps après le soleil, vers le milieu de la matinée. Mer et ciel avaient des tons irisés qui faisaient penser à l'intérieur d'une écaille d'huître et, non loin de *l'Armoire à Glace,* à quelque distance de la pointe de l'île, se dressait le rocher tout blanc des Mèdes.[2]

Comme il l'avait annoncé, Jambe de Bois s'était pris de passion pour la pêche. C'était lui qui, sifflant, éveillait le plus souvent Labro vers les cinq heures du matin.

—N'oublie pas le vin ... lui recommandait-il.

Puis le petit moteur bourdonnait, *l'Armoire à Glace* traçait son sillage mousseux le long des plages et des calanques jusqu'au rocher des Mèdes.

Par contre, Jules répugnait à casser les piades. On appelle ainsi, à Porquerolles, les bernard-l'ermite dont on se sert pour escher. Il faut casser la coquille avec un marteau ou avec une grosse pierre, décortiquer méticuleusement l'animal sans le blesser, et enfin l'enfiler sur l'hameçon.

[1] **accroche-moi une nouvelle piade** hook another crab on my line for me
[2] **les Mèdes** *the rocky northern tip of the island of Porquerolles*

C'était le travail de Labro qui, à force de s'occuper de la ligne de son compagnon, n'avait guère le temps de pêcher. L'autre le regardait faire [3] en roulant une cigarette, en l'allumant.

—Dis donc, Oscar, j'ai pensé à quelque chose ...

Chaque jour il avait une idée nouvelle, et il en parlait sur un ton naturel, cordial, comme on fait des confidences à un ami. Une fois, il avait dit:

—Mon premier projet a été de t'étrangler. Tu sais pourquoi? Parce qu'un jour, dans un bar, je ne sais plus où, une femme a prétendu que j'avais des mains d'étrangleur. C'est une occasion d'essayer, pas vrai?

Il regardait le cou d'Oscar, puis ses propres mains, hochait la tête.

—Je ne crois pas, en fin de compte, que c'est ce que je choisirai.

Il passait tous les genres de mort en revue.

—Si je te noie, tu seras tellement laid quand on te repêchera que cela me dégoûte ... Tu as déjà vu un noyé, Oscar? ... Toi qui n'es pas beau comme ça ...[4]

Il laissait descendre son hameçon au bout du boulantin, s'impatientait quand il restait cinq minutes sans une touche. Et alors, par crainte de le voir se dégoûter de la pêche, Labro, qui n'avait pas prié depuis longtemps, suppliait le bon Dieu de faire prendre du poisson à son bourreau.

—« Faites qu'il pêche, Seigneur, je vous en conjure. Peu importe que je n'attrape rien. Mais lui ... »

—Dis donc, Oscar ... Passe-moi d'abord une bouteille, tiens ... C'est l'heure ...

Chaque jour il devançait un peu plus l'heure de commencer à boire.

—Sais-tu que cela devient de plus en plus compliqué? Avant, je pensais que je te tuerais, n'importe comment, puis que, ma foi, adviendrait ce qui adviendrait ... Tu comprends ce que je veux dire? Je n'avais pas beaucoup de raisons de me raccrocher à la vie ... Au fond, je peux bien te l'avouer, cela m'aurait amusé d'être arrêté, de déranger des tas de gens, la police, les juges, les

[3] **le regardait faire** *see n. 3, p. 102*

[4] **toi qui n'es pas beau comme ça** you're ugly enough the way you are

jolies madames, les journalistes ... Un grand procès, quoi! Je leur aurais raconté tout ce que j'avais sur le cœur ... Et Dieu sait si j'en ai! ... Je suis bien sûr qu'ils ne m'auraient pas coupé la tête ... Et la prison ne me déplaisait pas non plus ...

» Maintenant, figure-toi que j'ai repris goût à la vie ... Et c'est ce qui complique tout, car il faut que je te tue sans me faire pincer ... Tu vois le problème, fiston?

» J'ai déjà échafaudé trois ou quatre plans dans ma tête ... J'y pense pendant des heures ... C'est assez rigolo ... Je fignole, j'essaie de tout prévoir ... Puis, à l'instant où j'ai l'impression que c'est au point, crac! Il me revient un petit détail qui flanque tout par terre ...

» Comment t'y prendrais-tu, toi? »

Il y avait bien trois semaines qu'il était dans l'île, quand il avait prononcé cette petite phrase si banale en apparence:

—Comment t'y prendrais-tu, toi?

Au même moment, Labro devait s'en souvenir, il sortait de l'eau une belle rascasse de deux livres.

—Ce n'est peut-être pas indispensable de me tuer? avait-il insinué.

Mais alors l'autre l'avait regardé avec étonnement, comme avec peine, avec reproche.

—Voyons, Oscar! ... Tu sais bien que j'ai écrit « *sous peine de mort* » ...

—Il y a si longtemps ...

Jules frappa sa jambe de bois de sa main.

—Et ça, est-ce que ça a repoussé?

—On [5] ne se connaissait pas ...

—A plus forte raison, mon vieux ... Non! Il faut que je trouve une combinaison ... Ce qui m'est venu tout de suite à l'esprit, c'est que cela arrive quand nous serons en mer, comme maintenant ... Qui est-ce qui peut nous voir, maintenant? Personne. Est-ce que tu sais nager?

—Un peu ...

Il se repentit aussitôt de cet « un peu » tentateur et corrigea:

—J'ai toujours nagé assez bien ...

—Mais tu ne nagerais pas si tu avais reçu un coup de poing

[5] on = nous

sur le crâne. Et un coup de poing sur le crâne, ça ne laisse pas de trace. Il faudra que j'apprenne à conduire le bateau, si je dois retourner seul au port * ... Mets-moi une autre piade ...

Quand il ne prenait pas de poisson, il était de méchante humeur, et il le faisait exprès d'être cruel.[6] 5

—Tu crois t'en tirer en m'entretenant, n'est-ce pas? Et tu es tout le temps à compter[7] les bouteilles de vin que je bois. Tu es avare, Oscar! Tu es égoïste! Tu es lâche! Tu ne feras même pas un beau mort. Veux-tu que je te dise? Tu me répugnes. Donne-moi à boire ... 10

Il fallait boire avec lui. Labro vivait dans une sorte de cauchemar, alourdi par le vin dès dix heures du matin, ivre à midi. Et l'autre ne le laissait même pas cuver son vin en paix, il le réveillait dès quatre ou cinq heures de l'après-midi pour la partie de boules. 15

Il ne savait pas jouer. Il s'obstinait à gagner. Il discutait les coups, accusait les autres de tricher. Et, si quelqu'un se permettait une réflexion ou un sourire, c'était Labro qu'il écrasait d'un regard furieux.

—J'espère que tu va cesser de voir ce type! disait Mme Labro. 20 Je veux croire aussi que ce n'est pas toi qui paie ces tournées que vous buvez à longueur de journée ...

—Mais non ... Mais non ...

Si elle avait su qu'il payait non seulement les tournées, mais la pension de Jules à *l'Arche de Noé!* 25

—Écoutez, monsieur Labro, disait le patron de *l'Arche*. Nous avons eu ici toutes sortes de clients. Mais celui-ci est impossible. Hier au soir, il poursuivait ma femme dans les corridors ... Avant-hier, c'était Jojo, qui ne veut plus[8] entrer dans sa chambre ... Il nous réveille au beau milieu de la nuit en donnant de grands 30 coups de son pilon sur le plancher pour réclamer un verre d'eau et de l'aspirine ... Il rouspète à tout propos, renvoie les plats qui ne lui plaisent pas, fait des réflexions désagréables devant les pensionnaires ... Je n'en peux plus ...

[6] **il le faisait exprès d'être cruel** he was purposely cruel
[7] **tu es tout le temps à compter** you're constantly counting
[8] **ne veut plus** since then refuses
* **si je dois retourner seul au port** (*see* **exercise 13**)

—Je t'en prie, Maurice ... Si tu as un peu d'amitié pour moi ...

—Pour vous, oui, monsieur Labro ... Mais pour lui, non ...

—Garde-le encore quinze jours ...

Quinze jours ... Huit jours ... Gagner du temps ... Éviter la catastrophe ... Et il fallait courir après les joueurs de boules. Car ils ne voulaient plus faire la partie avec cet énergumène qui grognait sans cesse et n'hésitait pas à les injurier.

—Il faut que tu joues ce soir, Vial ... Demande à Guercy de venir ... Dis-lui de ma part que c'est très important, qu'il faut *absolument* qu'il vienne ...

Il en[9] avait les larmes aux yeux de devoir s'humilier de la sorte. Parfois, il se disait que Jules était fou. Mais cela n'arrangeait rien. Est-ce qu'il pouvait le faire enfermer?

Il ne pouvait pas non plus aller trouver la police et déclarer:

—Cet homme me menace de mort ...

D'abord, parce qu'il ne possédait aucune preuve, pas même les cartes postales, dont on se moquerait. Ensuite, parce qu'il avait des scrupules. Cet homme-là, tel qu'il était, c'était un peu son œuvre,[10] en somme. C'était lui, Labro, le responsable.

Est-ce qu'il devait se laisser tuer. Pis! Est-ce qu'il devait vivre des semaines, peut-être des mois, avec la pensée que, d'une heure à l'autre, au moment où il s'y attendrait le moins, Jules lui dirait, de sa voix à la fois cordiale et gouailleuse:

—C'est l'heure, Oscar ...

Il était sadique. Il entretenait avec soin les frayeurs de son compagnon. Dès qu'il voyait celui-ci se détendre quelque peu, il insinuait doucement:

—Si[11] nous faisions ça maintenant? ...

Jusqu'à ce *nous* qui était féroce.[12] Comme s'il eût été[13] entendu une fois pour toutes que Labro était consentant, que, comme le fils d'Abraham, il marcherait de bon cœur au supplice ...

[9] **en** *do not translate*

[10] **c'était un peu son œuvre** *i.e., he was partly responsible for that man's state*

[11] **si** suppose

[12] **jusqu'à ce *nous* qui était féroce** even the pronoun *we* had something vicious about it

[13] **eût été = avait été**

—Tu sais, Oscar, je te ferai souffrir le moins possible ... Je ne suis pas aussi méchant que j'en ai l'air ... Tu en auras à peine pour trois minutes ...

Labro était obligé de se pincer pour s'assurer qu'il ne dormait pas, qu'il ne faisait pas un cauchemar ahurissant.

—Passe-moi d'abord la bouteille ...

Puis on parlait d'autre chose, des poissons, des boules, de Mme Labro, que Jules, qui ne l'avait vue que de loin, détestait.

—Tu n'as jamais eu l'idée de divorcer? ... Tu devrais ... Avoue que tu n'es pas heureux, qu'elle te fait marcher comme un petit chien ... Mais si! ... Avoue! ...

Il avouait. Ce n'était pas tout à fait vrai. Seulement un peu. Mais il valait mieux ne pas contredire Jules, parce qu'alors il piquait des colères terribles.

—Si tu divorçais, je crois que j'irais m'installer chez toi ... On engagerait Jojo comme servante ...

Les ongles de M. Labro lui entraient dans les paumes. Il y avait des moments où, n'importe où, sur son bateau, à la terrasse de chez Maurice, sur la place où ils jouaient aux boules, il avait envie de se dresser de toute sa taille et de hurler, de hurler comme un chien hurle à la lune.

Était-ce lui qui devenait fou?

—J'ai remarqué que tu fais la cuisine ...

—Je prépare seulement le poisson ...

—N'empêche que tu sais faire la cuisine ... On dit même que tu laves la vaisselle ... Qu'est-ce que tu penses de mon idée?

—Elle ne voudra pas ...

Jules y revenait trois ou quatre jours plus tard.

—Réfléchis ... Cela pourrait me donner l'envie d'attendre plus longtemps ... Au fond, moi qui ai passé toute ma vie dans les hôtels, je crois que je suis né pour avoir mon chez-moi ...

—Et si je vous donnais de l'argent pour vous installer ailleurs?

—Oscar!

Un dur rappel à l'ordre.

—Prends garde de ne jamais plus me parler ainsi, parce que, si cela t'arrive encore, ce sera pour tout de suite.[14] Tu entends?

[14] **ce sera pour tout de suite** I'll finish you off right away

Pour tout de suite!

Alors, la petite phrase de Jambe de Bois, commença à faire son chemin. Qu'avait-il dit exactement, au moment où il pêchait la rascasse de deux livres?

5 —*Comment t'y prendrais-tu, toi?*

Ces quelques mots devenaient, pour Labro, une sorte de révélation. En somme, ce que Jules pouvait faire, il pouvait le faire aussi. Jules disait:

—Je suis sûr qu'il y a un moyen de te tuer sans que je sois 10 pris ...

Pourquoi ne serait-ce pas réciproque? Pourquoi Labro ne se débarrasserait-il pas de son compagnon? La première fois que cette pensée lui vint, il eut peur qu'on pût la lire sur son visage, et il se félicita d'avoir des lunettes sombres.

15 Dès ce moment, il se mit à épier son compagnon. Il le voyait, chaque matin, qui, après la troisième bouteille, se désintéressait du poisson, mollissait au fond de *l'Armoire à Glace,* et glissait peu à peu dans une somnolence de plus en plus profonde. Est-ce qu-il dormait vraiment? Est-ce qu'il continuait à le surveiller sans en 20 avoir l'air?

Il fit l'expérience de se lever brusquement, et il vit les yeux s'entr'ouvrir, un regard malin, pétillant, il entendit une voix vaseuse qui grommelait:

—Qu'est que tu fais? [15]

25 Il avait préparé une réponse plausible, mais il se promit de ne pas recommencer, par crainte d'éveiller les soupçons. Car, alors, il ne doutait pas que ce serait « pour tout de suite ».

Jules disait:

—En somme, comme les courants, le matin, sont presque 30 toujours de l'est à l'ouest, tu suivras à peu près le même chemin que le bateau, et il y a des chances que tu ailles échouer pas loin du port ...

Il regardait le trajet sur l'eau lisse. Labro le regardait aussi. Seulement, ils ne voyaient pas le même cadavre.

35 —Il faudra, vois-tu, que je fasse ça quand tu seras debout. Parce que tu es trop lourd. Si je dois te soulever pour te balancer

[15] **qu'est que tu fais? = qu'est-ce que tu fais?**

dans la flotte, j'ai toutes les chances de[16] faire chavirer le bateau ou de basculer avec toi ...

—C'est vrai, se disait Labro. Il est lourd aussi. Sa jambe de bois le rend encore moins maniable que moi. Moi, j'ai l'avantage que le marteau à casser les piades soit de mon côté ... 5

Il corrigeait le lendemain:

—Non, pas le marteau, car il laisserait sans doute des traces ... Avec sa jambe de bois, il suffirait de le pousser pour qu'il perde l'équilibre ...

Ils observaient la mer. Ils connaissaient leur coin. Il y avait, 10 à certaine heure, le passage des bateaux de pêche qui revenaient d'avoir été retirer[17] les filets de l'autre côté de l'île. Il y avait aussi un vieux retraité qui venait vers huit heures du matin mouiller à un demi-mille de *l'Armoire à Glace* et qui portait un casque colonial. 15

Entre le passage des pêcheurs et huit heures ...

Il existait un danger, que Jules ne connaissait pas. Dans les pins, sur la côte, se dressait la bicoque d'un quartier-maître de la marine qui gardait le fort des Mèdes. Seulement, Labro, lui, savait que deux fois par semaine, le mardi et le vendredi, il se 20 rendait à Hyères par le bateau de Baptiste. Donc, il devait partir de chez lui vers sept heures du matin.

Huit heures moins le quart ... C'était l'heure qu'il fallait choisir ... Et veiller à ce que le gardien du sémaphore, là-haut, ne soit pas justement accoudé à son parapet, à observer la mer avec 25 ses jumelles ...

—Il y a des jours, Oscar, où je me demande si je ne ferais pas mieux d'en finir ... La cuisine de Maurice est bonne, mais je commence à en avoir assez de toujours manger les mêmes plats ... Sans compter que cela manque de femmes ... Jojo ne veut rien 30 entendre ...[18]

Labro rougit comme un collégien. Est-ce que l'autre s'imaginait qu'il allait lui procurer ...

—On a passé de bons moments ensemble, c'est vrai ... On est presque devenus copains, je l'admets ... Mais si! Je le dis comme 35

[16] **j'ai toutes les chances de** there's every chance that I'll
[17] **d'avoir été retirer** after having gone to remove
[18] **ne veut rien entendre** wants no part of me

je le pense ... Cela me fera de la peine de suivre à ton enterrement ...[19] Est-ce que c'est à Porquerolles qu'on va t'enterrer?

—J'y ai acheté une concession ...

—Bon! ... C'est plus agréable que de passer l'eau ...[20] Donne-moi la bouteille, Oscar ... Bois d'abord ... Allons! Laisse gueuler ta femme et fais ce que je te dis ...

Des milliers, des centaines de milliers, des millions d'hommes vivaient ailleurs—et pas si loin d'eux—une vie normale. Est-ce que ce n'était vraiment plus possible?

—Ce qui m'étonne, c'est que tu aies été si grossier, jadis, alors que je te vois maintenant si poli ... Au fond, tu es devenu bourgeois, très bourgeois ... Avoue-le ... Je parie que tu es plus riche que tu veux bien le dire ... Tu ne joues pas à la Bourse? [21]

—Un peu ...

—Tu vois! Je m'en doutais ... Pourtant, nous sommes partis tous les deux du même pied ... Qui sait, s'il n'y avait pas eu le truc de la pirogue, s'il n'y avait pas eu ma jambe, je serais peut-être maintenant comme toi ... As-tu été assez crapule! ...[22] Non mais, réfléchis ... Laisser un homme comme tu l'as fait, un blanc, sans aucun moyen d'échapper à la forêt ... Y penses-tu de temps en temps, Oscar? ... Et grossier, par surcroît! ... Des mots que je ne prononcerais même pas maintenant, moi qui ne suis pas un bourgeois ... Tu ne peux pas savoir à quel point tu arrives parfois à m'écœurer ...

A ces moments-là, Labro n'osait pas se lever, parce qu'il craignait que ce ne fût le signal.[23] De même évitait-il de laisser le marteau aux piades à portée de son compagnon. Et aussi la grosse pierre qui servait de lest.

—T'as peur de mourir, toi? ... C'est drôle, moi, ça ne me fait rien ... C'est parce que tu es devenu bourgeois, parce que tu as quelque chose à perdre ...

Dans ce cas, si Jules n'avait rien à perdre ...

[19] **suivre à ton enterrement** *i.e., to march in his funeral procession*
[20] **passer l'eau** to be transported across the water (*and buried on the mainland*)
[21] **La Bourse** *the Paris stock market*
[22] **as-tu été assez crapule!** what a real scoundrel you've been!
[23] **que ce ne fût le signal** that his action would give the signal

—Je me demande même si j'ai encore des parents ... J'avais une sœur qui a dû se marier, mais dont je n'ai jamais eu de nouvelles ... A moins qu'elle n'ait mal tourné, elle aussi ...

Au fait, quel était son nom de famille? Là-bas, au Gabon, il avait signé « Jules » sa pancarte de malheur. Jules qui? 5

Labro le lui demanda. L'autre le regarda, étonné.

—Mais ... Chapus ... Tu ne le savais pas? ... Jules Chapus ... Ça vaut bien Labro,[24] non? ... Je parie qu'il y a des Chapus qui sont des gens très bien ... Passe-moi la bouteille ... Non ... Tiens ... Je me demande ... 10

Pourquoi se soulevait-il sur son siège?

Labro se cramponna au sien. Il s'y cramponna de toute son énergie, mais la sueur ne lui gicla de la peau qu'après coup,[25] quand il s'aperçut que Jules ne s'était levé que pour satisfaire un petit besoin. 15

La peur d'abord ... La réaction ensuite ... Il se mit à trembler ... Il trembla de toutes les frayeurs dans lesquelles il vivait depuis des mois et, soudain, il se leva à son tour, fit deux pas en avant ...

[24] **ça vaut bien Labro** it's as good as Labro

[25] **mais la sueur ... après coup** it was only afterward that the sweat broke out on his skin

chapitre 4

Le Naufrage de «l'Armoire à Glace»

Il avait oublié tout ce qu'il avait si soigneusement combiné, la question du quartier-maître de la marine, du retour des pêcheurs, du vieux retraité au casque colonial.

Malgré cela, la chance fut avec lui. Le gardien du sémaphore, justement, observait la mer avec ses jumelles et déposa comme suit: [1]

—A certain moment, vers huit heures moins dix minutes, j'ai regardé vers les Mèdes et j'ai vu deux hommes qui se tenaient étroitement embrassés à bord de *l'Armoire à Glace*. J'ai d'abord pensé que l'un d'eux était malade et que l'autre l'empêchait de tomber à l'eau. Puis j'ai compris qu'ils luttaient. Séparé d'eux par plusieurs centaines de mètres, je ne pouvais pas intervenir. A un moment donné, ils sont tombés tous les deux sur le plat-bord, et le bateau a chaviré ...

Vial, le pêcheur, avec ses deux fils, contournait à cet instant précis la pointe des Mèdes.

—J'ai vu un bateau sens dessus dessous et j'ai reconnu *l'Armoire à Glace*. J'ai toujours prédit qu'il finirait par chavirer, car on l'avait trop chargé de superstructures ... A l'instant où nous avons aperçu les deux hommes dans l'eau, ils ne formaient encore qu'une masse indistincte ... Je crois que M. Labro, qui est bon nageur, essayait de maintenir son compagnon à la surface ... Ou

[1] **déposa comme suit** testified as follows

bien c'était celui-ci qui, comme cela arrive souvent, se cramponnait à lui ...

Le retraité n'avait rien vu.

J'étais justement en train de sortir une daurade ... J'ai entendu du bruit, mais je n'y ai pas pris garde ... D'ailleurs, le bateau de M. Labro était du côté du soleil et je ne pouvais pas distinguer grand'chose, car j'étais ébloui ...

Personne n'avait donc vu ce qui s'était passé exactement. Personne, sauf Labro. Quand il était arrivé près de Jules, à le toucher, celui-ci s'était tourné vers lui et son visage avait exprimé, non plus la menace, ni la colère, mais une frayeur *incroyable*.

Incroyable parce que c'était presque un autre homme que Labro avait devant lui, un homme qui avait peur, un homme dont les yeux suppliaient, un homme dont les lèvres tremblaient et qui balbutiait:

—Ne faites pas ça, monsieur Labro!

Oui, il avait dit:

—Ne faites pas ça, monsieur Labro ...

Et non:

—Ne fais pas ça, Oscar ...

Il l'avait dit d'une voix que l'autre ne lui connaissait pas,[2] d'une voix qui l'avait remué. Mais il était trop tard. Il ne pouvait plus reculer. D'abord parce que l'élan était pris. Ensuite parce que, après, que serait-il arrivé? Quelle contenance prendre[3] devant un homme qu'on vient d'essayer de tuer? Ce n'était pas, ce n'était plus possible.

D'ailleurs, cela ne dura que quelques secondes. Labro donna un coup d'épaule qui aurait dû suffire, mais Jules se raccrocha à lui, Dieu sait comment. Dieu sait comment ils se maintinrent plusieurs secondes en équilibre sur l'embarcation que leurs mouvements faisaient tanguer.

Ils soufflaient. Tous les deux soufflaient. Ils ne s'étaient jamais vus de si près, et tous les deux avaient peur.

Ils étaient aussi grands, aussi larges, aussi forts l'un que l'autre, et ils se tenaient embrassés, comme devait le confirmer l'homme du sémaphore. Jules haletait:

[2] **l'autre ne lui connaissait pas** the other man found unfamiliar
[3] **quelle contenance prendre** how was he to act

—Écoutez, je ...

Trop tard! Trop tard pour entendre quoi que ce soit! Il fallait que l'un des deux se détache, que l'un des deux bascule.

Et ils basculèrent tous les deux, en même temps que *l'Armoire à Glace* qui se retournait.

Dans l'eau, ils se raccrochaient encore l'un à l'autre, ou, plus exactement, c'était Jambe de Bois qui se raccrochait et dont les yeux exprimaient la terreur.

Est-ce qu'il n'essayait pas de parler? Sa bouche s'ouvrait en vain. C'était l'eau salée, à chaque coup, qui l'envahissait.

Un bruit de moteur. Un bateau approchait. Comment Labro reconnut-il, malgré tout, que c'était celui de Vial? Son subconscient le lui disait sans doute. Il frappait, pour se dégager. Il atteignit le visage de son compagnon, en plein, et l'os du nez lui fit mal au poing.

Puis ce fut tout. Vial lui criait:

—Tenez bon, monsieur Labro ...

Est-ce qu'il nageait? Est-ce qu'il saignait? Il avait perdu ses lunettes. Une ligne de pêche s'était entortillée à ses jambes.

—Attrape-le, Ferdinand ...

La voix de Vial, qui parlait à un de ses fils. On le saisissait comme un gros paquet trop lourd. On le rattrapait avec une gaffe qui lui faisait une entaille à hauteur de la ceinture.

—Tiens ferme, papa ... Attends que j'attrape sa jambe ...

Et il s'aplatit au fond du bateau de Vial, tout mou, tout giclant d'eau, avec, Dieu sait pourquoi, des larmes dans les yeux. Les autres croyaient que c'était de l'eau de mer, mais lui savait bien que c'étaient des larmes.

❧

C'est à peine s'il eut besoin de mentir. Tout le monde mentait pour lui, sans le savoir. Tout le village, toute l'île avait reconstitué l'histoire à sa manière avant même qu'on l'interrogeât.

—Vous le connaissiez bien? lui demandait un commissaire d'un air entendu.

—Je l'ai rencontré en Afrique, autrefois ...

—Et vous avez été trop bon de l'héberger ... Il a usé et abusé de vous de toutes les façons ... Les témoignages ne manquent pas sur ce point ... Il rendait à tout le monde la vie impossible ...

—Mais ...

—Non seulement il était ivre dès le matin, mais il prenait un malin plaisir à se montrer désagréable, sinon menaçant ... Lorsque l'accident est arrivé, il avait déjà bu deux bouteilles, n'est-ce pas?

—Je ne sais plus ...

—C'est plus que probable, d'après la moyenne des autres jours ... Il vous a injurié ... Peut-être vous a-t-il attaqué ... En tout cas, vous vous êtes battus ...

—Nous nous sommes battus ...

—Vous n'étiez pas armé?

—Non ... Je n'avais même pas pris le marteau ...

Personne ne fit attention à cette réponse dont il se repentit aussitôt, car elle aurait pu être révélatrice.

—Il a basculé et le bateau s'est retourné ... Il s'est accroché à vous ...

Et l'enquêteur de conclure: [4]

—C'est pénible, évidemment, mais c'est un bon débarras ...

Est-ce que M. Labro rêvait toujours? Était-ce son cauchemar des dernières semaines qui se transformait soudain en un songe tout de douceur et de facilité?

C'était même trop facile. Cela ne lui paraissait pas naturel.

—Je demande bien pardon de ce que j'ai fait ...

—Mais non! Mais non! Vous vous êtes défendu et vous avez eu raison. Avec des individus de cette espèce ...

Il fronçait les sourcils. Pourquoi lui semblait-il qu'il y avait quelque chose qui ne tournait pas rond? C'était trop facile, vraiment. Il se sentait inquiet, malheureux. Et, comme il avait un peu de fièvre, il mélangeait le passé et le présent, employait des raccourcis que les autres ne pouvaient pas comprendre, confondait la pirogue de l'Umbolé et *l'Armoire à Glace*.

—Je sais bien que je n'aurais pas dû ...

—Votre femme, Maurice, Vial et les autres nous ont tout raconté ...

Comment ces gens-là, qui ne savaient rien, avaient-ils pu raconter quoi que ce soit?

[4] **de conclure** concluded

—Vous avez été trop généreux, trop hospitalier. Ce n'est pas parce que, jadis, on a bu quelques verres avec un individu qu'on doit le recueillir quand il est à la côte. Voyez-vous, monsieur Labro, votre seul tort a été de ne pas vous renseigner sur lui. Si vous étiez venu nous trouver ...

Hein? Qu'est-ce qu'on lui racontait à présent? Se renseigner sur quoi?

—Cet homme-là était recherché par cinq pays au moins pour escroqueries ... Il était au bout de son rouleau. Où qu'il aille,[5] il risquait de se faire prendre. C'est pourquoi je répète que c'est un bon débarras. On ne parlera plus de cette crapule de Marelier ...

M. Labro resta un instant immobile, sans comprendre. Il était dans son lit. Il reconnaissait sur le mur le dessin qu'y mettait le soleil traversant les rideaux.

—Pardon ... demanda-t-il poliment, d'une voix comme lointaine. Vous avez dit?

—Marelier ... Jules Marelier ... Il y a vingt ans qu'il écume l'Afrique du Nord et le Levant, où il n'a jamais vécu que d'escroqueries et d'expédients. Avant cela, il a purgé dix ans à Fresnes [6] pour vol avec effraction ...

—Un instant ... Un instant ... Vous êtes sûr qu'il s'appelle Jules Marelier?

—Non seulement nous avons retrouvé ses papiers dans sa malle, mais nous possédons ses empreintes digitales et sa fiche anthropométrique ...

— ... et il était à Fresnes il y a ... Attention ... Je vous demande pardon ... Oh! ma tête ... Il y a combien de temps exactement?

—Trente ans ...

—Sa jambe ...

—Quoi, sa jambe?

—Comment a-t-il perdu sa jambe?

—Lors d'une tentative d'évasion ... Il est tombé de dix mètres de haut sur des pointes de fer dont il ignorait l'existence ... Vous paraissez fatigué, monsieur Labro ... Le docteur est à côté avec votre femme ... Je vais l'appeler ...

[5] **où qu'il aille** wherever he might go
[6] **Fresnes** *a prison near Paris*

—Non ... Attendez ... Quand est-il allé au Gabon? ...

—Jamais ... Nous avons tout son *curriculum vitae*.[7] Le plus bas[8] qu'il soit descendu en Afrique est Dakar ...[9] Vous vous sentez mal?

—Ne faites pas attention ... Il n'est jamais allé dans les marais de l'Umbole?

—Pardon?

—Une région du Gabon ...

—Puisque je vous dis ...[10]

Et on entendit la voix désespérée de M. Labro qui gémissait:

—Alors, ce n'est pas lui! Ce n'est pas le même Jules ...

La porte s'ouvrit. Le commissaire de police appelait avec anxiété:

—Docteur! ... Je crois qu'il se trouve mal ...

—Mais non! Laissez-moi ... criait-il en se débattant. Vous ne pouvez pas comprendre ... C'était un autre Jules ... J'ai tué un autre Jules ... Un autre Jules qui ...

—Reste tranquille. Ne t'agite pas. Tu as déliré, mon pauvre Oscar ...

—Qu'est-ce que j'ai dit?

—Des bêtises ... Mais tu nous a effrayés quand même ... On s'est demandé si tu n'allais pas faire une congestion cérébrale ...

—Qu'est-ce que j'ai dit?

—Toujours les Jules, les deux Jules ... Car, dans ton cauchemar, tu en voyais deux ...

Il esquissa un sourire amer.

—Va toujours.[11]

Tu prétendais que tu avais tué pour rien ... Non. Reste calme ... Prends ta potion ... Ce n'est pas mauvais du tout ... Cela te fera dormir ...

Il préféra prendre sa potion et dormir, parce que c'était trop affreux. Il avait tué pour rien! Il avait tué un Jules qui n'était pas

[7] **curriculum vitae** biographical sketch
[8] **le plus bas** the farthest south
[9] **Dakar** *African port on the Atlantic coast, capital city of Sénégal (formerly French West Africa)*
[10] **puisque je vous dis ...** but I tell you . . .
[11] **va toujours** go on, continue

le vrai Jules, un pauvre type qui ne lui voulait sans doute aucun mal, un vulgaire escroc qui ne cherchait, en le menaçant de temps en temps, qu'à vivre à ses crochets et qu'à couler à Porquerolles des jours paisibles.

5 Il entendait encore sa voix, à Jambe de Bois,[12] quand celui-ci lui avait crié, au comble de la terreur:

—*Ne faites pas ça, monsieur Labro!*

Sans le tutoyer. Sans grossièreté. Presque respectueusement. Et tout le reste était de la frime!

10 Lui, Labro, avait eu peur pour rien, avait tué pour rien.

—Alors, monsieur Labro, bon débarras, hein? On va pouvoir faire la partie de boules en paix ...

Et la paix régnait aussi chez Maurice, à *l'Arche de Noé,* où on n'entendait plus le bruit menaçant du pilon de bois sur les 15 planchers et dans les escaliers.

—Et vous qui nous recommandiez d'être patients avec lui parce qu'il avait beaucoup souffert, là-bas, au Gabon, où il n'a jamais mis les pieds! ... Un coup de blanc, monsieur Labro?

—Merci ...

20 —Ça ne va pas?

—Ça ira ...

Il faudrait bien qu'il s'habitue à être un assassin. Et à quoi bon aller le crier sur les toits?

Tout cela parce qu'un vague escroc, qui en avait marre de 25 traîner la patte à travers le monde, pourchassé par la police, avait entendu un soir, dans un bar, Dieu sait où, les coloniaux raconter l'histoire de la pirogue, l'histoire du vrai Jules Chapus, lequel Chapus[13] était mort, lui, de sa belle mort, si l'on peut dire, quinze ans après l'Umbolé,[14] dans un poste d'Indochine[15] où sa com-30 pagnie l'avait envoyé.

Tout cela aussi parce que cet escroc, un jour, à Addis-Abéba,

[12] **sa voix, à Jambe de Bois** Peg-leg's voice (*the "à" indicates possession*)
[13] **lequel Chapus** = **qui**
[14] **après l'Umbolé** after the Umbolé experience
[15] **l'Indochine** *collective name given to former French colonies and protectorates embracing Cambodia, Laos, and Vietnam*

avait mis la main par hasard sur *Le Petit Var* et y avait lu le nom d'Oscar Labro.

... Et que [16] cela lui avait donné l'idée d'aller finir ses jours en paix dans l'île de Porquerolles.

[16] et que = et parce que

questions

Maigret et l'inspecteur Malgracieux

pages 9–11

1. Où se trouvent Maigret et Daniel?
2. Pourquoi le poste du XIIIe arrondissement appelait-il?
3. Qu'est-ce qui s'est passé boulevard de la Chapelle?
4. Pourquoi Maigret s'ennuyait-il dans son propre bureau?
5. Expliquez la fonction des appareils peints en rouge qui se trouvent aux carrefours de Paris.
6. Pourquoi la pastille du XVIIIe arrondissement s'est-elle allumée?

pages 12–14

1. Pourquoi n'était-il pas strictement nécessaire que Maigret aille sur les lieux du crime?
2. Pourquoi y est-il allé?
3. De quel criminel Maigret se souvenait-il?
4. Comment ce criminel s'était-il suicidé?
5. Décrivez la scène que Maigret a trouvée en arrivant rue Lamarck.
6. Que contenait le petit paquet qu'on a trouvé dans le portefeuille du mort?

pages 15–17

1. Pourquoi est-ce que personne n'a fait attention au coup de feu?

2. Pourquoi est-ce qu'on appelait Lognon « l'inspecteur Malgracieux »?
3. Quels ordres Maigret donne-t-il au sujet du cadavre?
4. Pourquoi Maigret s'intéresse-t-il à cette affaire?
5. Quelles raisons Maigret avait-il de croire Goldfinger incapable d'insulter la police?
6. Décrivez l'escalier qui menait à l'appartement des Goldfinger.

pages 18–20

1. Décrivez la personne qui a ouvert la porte aux inspecteurs.
2. Pourquoi cette personne s'est-elle interrompue en disant: « Tu n'es pas ... »?
3. Pourquoi Mme Goldfinger ne voulait-elle pas que la porte de sa chambre soit fermée?
4. Qu'est-ce que la jeune femme était en train de faire quand les inspecteurs ont sonné? Comment le savez-vous?
5. Selon la jeune femme, pourquoi Goldfinger était-il sorti?
6. Dans quel état de santé Goldfinger se croyait-il? Quel était son état de santé réel?

pages 21–23

1. Quel effet la nouvelle de la mort a-t-elle eu sur les deux femmes?
2. Quelle opinion Éva avance-t-elle sur la question de suicide?
3. Où se trouve le corps à ce moment?
4. Quelles raisons possibles de suicide Mme Goldfinger suggère-t-elle?
5. Pour quelle activité la rue Lafayette est-elle connue?

pages 23–26

1. Comment doit-on interpréter le tressaillement d'Éva?
2. Quels ennuis financiers Goldfinger avait-il parfois?
3. Laquelle des deux femmes Maigret observait-il? De quelle manière?
4. Où Goldfinger gardait-il normalement son revolver?
5. Pourquoi Mme Goldfinger quitte-t-elle le salon?
6. Qu'est-ce qu'elle dit en revenant?
7. Pourquoi est-il peu probable que Goldfinger ait pris le revolver pendant l'après-midi?

pages 27–29

1. Qu'est-ce qui indique que Maigret se sent chez lui?
2. Pourquoi Maigret a-t-il alerté Amsterdam?
3. Pourquoi est-ce qu'il faisait chaud dans le bureau de Maigret?
4. Faites un résumé des pensées de Maigret.
5. Pourquoi Lognon est-il toujours de si mauvaise humeur?
6. Pourquoi Maigret a-t-il téléphoné à la police suisse?

pages 29–32

1. Décrivez le commissaire de la Section financière.
2. Quel message Maigret a-t-il laissé pour le docteur Paul?
3. Qu'est-ce que Maigret a demandé au Central téléphonique?
4. Pourquoi les empreintes sur le revolver ne seront-elles d'aucune utilité pour l'enquête?
5. Comment va-t-on prendre l'escroc au *Claridge*?

pages 33–35

1. Quel revolver a tué Goldfinger?
2. Qu'est-ce qu'indiquaient les petites stries sur le canon du revolver?
3. Si l'on a vraiment utilisé un silencieux, qu'est-ce qui ne tourne pas rond dans l'affaire Goldfinger?
4. Que faisait Maigret sur la plate-forme de l'autobus?
5. Expliquez le rapport que Maigret trouve entre la mort de Goldfinger et celle de Stan le Tueur.

pages 35–38

1. Pourquoi Mme Goldfinger n'est-elle pas allée à l'Institut médico-legal?
2. Sa sœur y est allée. Décrivez la conduite de celle-ci.
3. Combien d'appels téléphoniques y a-t-il eu chez les Goldfinger?
4. Pourquoi Lognon a-t-il visité tous les bistros du quartier?
5. Qu'est-ce qui indique que Maigret n'est pas sûr que Goldfinger se soit suicidé?

pages 39–41

1. Combien de coups de téléphone Mme Goldfinger a-t-elle reçus depuis la mort de son mari? Combien en a-t-elle donné?

2. Pourquoi Maigret pensait-il à chercher un serrurier?
3. Quelle raison Mme Goldfinger a-t-elle donnée pour avoir tant tardé à ouvrir la porte?
4. De quel détail bizarre Maigret se rend-il compte enfin?
5. Quel autre détail lui semble bizarre aussi?

pages 41–44

1. Combien valent les deux polices d'assurance de Goldfinger?
2. Dans quelles conditions les deux polices payaient-elles la prime en cas de suicide?
3. Selon Mme Goldfinger, pourquoi son mari avait-il pris de si grosses assurances sur la vie?
4. Pourquoi Lognon devait-il rentrer chez lui?
5. Quelle raison Mme Goldfinger a-t-elle donnée à la concierge pour expliquer son changement d'habitude?
6. Quand a-t-elle cessé de sortir?
7. Que faisait Lognon pendant que Maigret parlait au téléphone?

pages 45–47

1. A quoi pensait Maigret pendant l'interrogatoire du Commodore?
2. Comment Maigret a-t-il persuadé à Lognon de ne pas donner sa démission?
3. Combien de coups de revolver ont été tirés? Lequel des coups a tué Goldfinger?
4. Pourquoi Maigret pense-t-il que Mme Goldfinger a été de mèche avec l'assassin?
5. Qui va mener à bien l'affaire Goldfinger?

pages 47–50

1. Pourquoi Éva a-t-elle quitté l'appartement pour aller coucher à l'hôtel?
2. Comment Maigret savait-il que Mme Goldfinger n'avait pas communiqué par téléphone avec l'assassin?
3. Racontez la brève carrière policière (*police career*) de Mariani.
4. Pourquoi Mme Goldfinger n'avait-elle besoin ni de téléphoner ni de sortir pour communiquer avec l'assassin?
5. Pourquoi Lognon ne pouvait-il pas dîner avec Maigret ce soir?

La Pipe de Maigret

pages 53–55

1. Décrivez l'atmosphère au début de l'histoire.
2. Que cherchait machinalement la main de Maigret?
3. Décrivez la pipe en question.
4. Quand se souvenait-il l'avoir eue à la bouche?
5. Pourquoi Maigret est-il entré dans le bureau des inspecteurs?
6. Pourquoi Maigret savait-il d'avance que sa pipe n'était pas chez le chef?
7. Qu'est-ce que Maigret avait promis d'apporter en rentrant chez lui?
8. Qui était invité à dîner chez les Maigret?
9. Pourquoi Maigret avait-il l'air préoccupé?
10. Passant en revue les événements du jour, quels étaient ceux que se rappelait Maigret?

pages 56–58

1. Pourquoi Maigret avait-il du mal à se rappeler la visite d'une dame et son fils?
2. Faites le portrait physique et moral de Mme Leroy.
3. Connaissait-elle le nom Maigret? Et son fils?
4. Comment expliquez-vous la distraction de Maigret pendant la visite?
5. Pourquoi le nom Vincennes était-il rattaché à la pipe de Maigret?
6. Dans quelle sorte de quartier se trouvait la maison de Mme Leroy?

pages 58–60

1. Que constatait Mme Leroy lorsqu'elle rentrait chez elle?
2. Faites le portrait physique et moral du jeune homme.
3. Quel était son métier?
4. Comment expliquez-vous que Mme Leroy ait d'abord soupçonné son fils?

5. Comment Mme Leroy a-t-elle la certitude qu'on est entré chez elle?
6. Est-ce que des objets ont disparu de la maison?
7. Qu'est-ce qu'elle a trouvé avant-hier quand il y a eu le terrible orage?
8. Pourquoi avait-elle emmené son fils au cinéma le lundi précédent?

pages 61–64

1. Au début de son veuvage, qu'est-ce que Mme Leroy a fait pour suppléer à sa pension?
2. Qui a interrompu la visite en entrant dans le bureau?
3. Où Maigret avait-il laissé sa bonne pipe pendant qu'il parlait avec le chef?
4. Pourquoi Mme Leroy ne pouvait-elle pas porter plainte pour vol?
5. Une nuit, qu'est-ce qui s'est passé?
6. Pourquoi le jeune homme paraissait-il de plus en plus au supplice?
7. Quel conseil Maigret a-t-il donné à Mme Leroy?
8. Qui avait chipé la pipe de Maigret?

pages 64–67

1. Qu'est venue dire Mme Leroy le lendemain matin?
2. Y a-t-il une trace d'égoïsme dans les remarques de Mme Leroy sur le sort de son fils?
3. En quoi ce fils était-il « un faible » selon Mme Leroy?
4. Décrivez le quartier où habitait Mme Leroy.
5. Qu'est-ce qui caractérisait l'intérieur de sa maison?
6. Si Mme Leroy avait le sommeil léger, pourquoi n'a-t-elle rien entendu cette nuit?

pages 67–69

1. Est-ce que l'attitude de Mme Leroy envers son fils était contradictoire?
2. Pourquoi Maigret était-il « comme une éponge »?
3. Qu'est-ce qu'il cherchait machinalement autour de lui?
4. Quelle supposition aurait-on pu faire sur le sort de Joseph?
5. Quelle impression a-t-on de la vie conjugale des Leroy?

6. Après s'être couché, qu'a fait Joseph?
7. Qu'est-ce qu'il n'a pas mis avant de partir?
8. Joseph fumait-il la pipe?

pages 70–72

1. Décrivez les anciens locataires de Mme Leroy.
2. Qui a remplacé le maçon quand celui-ci est parti?
3. Où les locataires de Mme Leroy trouvaient-ils la clef quand elle devait sortir?
4. Décrivez le départ de M. Bleustein.
5. Qu'a trouvé Maigret dans les marges des romans d'aventures?
6. Qu'a trouvé Lucas dans le paquet de cigarettes du gosse?
7. Qu'a dit Mathilde dans sa lettre?

pages 73–76

1. Quel semble être le sujet de la rêverie de Maigret?
2. De quoi s'occupait-on aux Sommiers?
3. Pourquoi Lucas était-il allé au salon de coiffure?
4. Quelles semblent être l'attitude et l'opinion des employés vis-à-vis de Joseph?
5. Quel rôle jouait la caissière dans la vie amoureuse de Joseph?
6. Pourquoi Maigret et Lucas sont-ils allés sans tarder à la maroquinerie?

pages 76–79

1. Pourquoi Mathilde refuse-t-elle d'abord de parler avec Maigret?
2. Joseph est-il à son travail à ce moment?
3. Depuis combien de temps Mathilde et Joseph se connaissent-ils?
4. Où allaient-ils parfois ensemble le dimanche?
5. Que devenait la plupart de l'argent que Joseph gagnait?
6. Que faisaient Mathilde et Joseph à Chelles?
7. Avec quel autre événement le meurtre de Bleustein correspond-il?

pages 80–83

1. Si la police devait rechercher toutes les personnes disparues, quel en serait l'effet?

2. Où Maigret est-il allé en taxi? Pour quoi faire?
3. Pourquoi Mme Leroy avait-elle vidé les armoires et les tiroirs?
4. Pourquoi Maigret est-il allé chez Mathilde?
5. Pourquoi est-il passé alors au quai des Orfèvres?
6. Pourquoi Mathilde devrait-elle se souvenir si bien de Chelles?

pages 83–85

1. Décrivez la salle où Mathilde et Joseph ont déjeuné.
2. Qu'est-ce que le patron leur a servi?
3. Pourquoi le chauffeur est-il allé à la gare pour trouver l'auberge?
4. Dans quelles conditions Lucas doit-il avancer jusqu'à l'auberge?

pages 86–88

1. Que faisaient les deux hommes lorsque Maigret est entré à l'auberge?
2. Qu'est-ce qu'ils ont fait lorsque Maigret leur a dit bonsoir?
3. Comment la salle était-elle éclairée?
4. Qu'est-ce qui indique qu'il y avait quelqu'un au premier étage?
5. Décrivez la lutte de Maigret avec son adversaire.

pages 88–91

1. Comment Lucas a-t-il aidé Maigret?
2. Comment Nicolas a-t-il reconnu Maigret?
3. En quel état se trouvait Mathilde après la lutte? Pourquoi?
4. Pourquoi le patron est-il monté au premier étage?
5. Que craignait encore Joseph en ouvrant la porte de sa chambre?
6. Quels objets Joseph a-t-il remis (*handed over*) à Maigret?
7. De quoi Joseph a-t-il le plus besoin à ce moment?

pages 92–95

1. Si Joseph n'avait pas chipé la pipe de Maigret, qu'est-ce qui aurait pu lui arriver?
2. Analysez la pensée de Maigret au sujet de la pipe chipée.
3. Comment Joseph savait-il que l'objet caché devait être très petit?

4. Que venait faire Nicolas chez Mme Leroy?
5. Comment Joseph savait-il que l'objet devait être caché dans la salle à manger?
6. Où Joseph a-t-il fini par trouver ce qu'il cherchait? Qu'est-ce que c'était?

pages 95–97

1. Où Joseph comptait-il recacher sa trouvaille (*find*)?
2. Pourquoi Joseph est-il sorti au milieu de la nuit en pantoufles et sans chapeau?
3. Pourquoi a-t-il pris tant de précautions à la gare de l'Est?
4. Pourquoi, dans sa chambre d'auberge, Joseph a-t-il gardé les volets fermés?
5. Comment Joseph va-t-il raconter son aventure à sa mère?
6. Pourquoi Joseph ne serait-il pas satisfait de la nouvelle pipe que Maigret lui promet?

Sous Peine de mort

pages 101–104

1. Quand Oscar Labro a-t-il reçu la première carte postale?
2. A cette époque-là, pourquoi se levait-il à cinq heures du matin?
3. Quels changements les habitudes de Labro ont-elles subis à partir de la première carte?
4. Qu'est-ce qui indique la curiosité de la postière?
5. Qu'est-ce qui montre que Jules se rapprochait?
6. Décrivez la place de Porquerolles.
7. Quelle était la fonction du *Cormoran*?

pages 104–106

1. Pourquoi Labro est-il venu si régulièrement à son mystérieux rendez-vous?
2. Donnez une description détaillée de *l'Armoire à Glace.*
3. Combien de temps s'est écoulé entre la troisième et la quatrième carte?

4. Qu'est-ce qui caractérise la route suivie par Jules?
5. Quel événement s'est produit soudain un mercredi matin?
6. Pour quelle raison l'ancien maire de Porquerolles portait-il des lunettes noires?
7. Décrivez l'homme à la proue du *Cormoran.*
8. Pourquoi semblait-il énorme aux yeux de Labro?

pages 107–110

1. Que nous indique la vieille malle?
2. En quoi les deux silhouettes se ressemblaient-elles?
3. Que signifie le geste de Jules de trancher l'amarre de *l'Armoire à Glace*?
4. Qu'est-ce qu'on a senti en regardant les deux hommes?
5. Quelles autres ressemblances remarque-t-on entre eux?
6. En quoi Labro s'est-il montré intimidé et craintif?
7. Qu'est-ce que Jules a trouvé rigolo?

pages 110–113

1. Décrivez la voix de Jules.
2. Pourquoi Jules a-t-il dit à Oscar de faire ramener son bateau?
3. Quelle impression Jules avait-il de la femme de Labro?
4. Qu'est-ce qui a empêché Labro de demander pitié?
5. Où se sont dirigés les deux hommes?
6. Décrivez les gestes de Jules au café.
7. Jules avait-il vu Labro auparavant?
8. Qu'est-ce que Labro avait écrit sur la pancarte?
9. Comment Jules a-t-il retrouvé Labro?

pages 114–116

1. A la troisième bouteille, quel était l'effet du vin blanc sur Labro?
2. Pourquoi la joie de Jules avait-elle quelque chose d'effrayant?
3. Où les deux hommes auraient-ils pu se rencontrer? Pourquoi?
4. Pourquoi les gens qui allaient et venaient ne pouvaient-ils pas venir en aide à Labro?
5. Que faisait Labro au Gabon quand il avait vingt-deux ans?
6. Quel est le cauchemar de Labro?
7. Résumez l'incident de la pirogue.

8. Quel est exactement le "crime" de Labro, et quelles en sont les causes?

pages 117–119

1. Quelle sorte de région est l'Umbolé?
2. Que disait l'écriteau?
3. Pourquoi Labro avait-il été poussé à répondre à l'injonction de l'inconnu?
4. De quoi Jules accusait-il Labro?
5. Y a-t-il quelque chose d'ambigu dans l'aspect des deux hommes? Expliquez.
6. Qu'est-ce qui caractérise la conduite de Labro pendant cet entretien? Celle de Jules? Comment Simenon fait-il ressortir leurs caractères?
7. Comment Labro a-t-il perdu son oeil?
8. Labro était-il riche? Donnez des détails.

pages 120–123

1. Comment l'auteur nous fait-il sentir l'effet qu'ont sur Labro le vin et la présence de Jules?
2. Comment Labro a-t-il essayé de s'éloigner de Jules?
3. Quelle lueur d'espoir Labro pouvait-il voir dans les paroles de Jules?
4. Pourquoi Jules tenait-il à « faire connaissance »?
5. Qu'est-ce qu'il voulait apprendre?
6. Donnez des exemples du grand sans-gêne de Jules.
7. Qu'y a-t-il d'intéressant dans la manière qu'a Labro de dire « Il faudra bien »?
8. Décrivez la réaction de Mme Labro au retour de son mari.
9. Qu'a-t-il répondu aux questions de sa femme?
10. Comment a-t-elle expliqué aux joueurs de boules le sommeil insolite de son mari?

pages 124–126

1. De quoi Jambe de Bois s'était-il pris de passion?
2. A quoi servaient les piades?
3. Pourquoi Labro n'avait-il guère le temps de pêcher?
4. Qu'est-ce que Jules passait en revue?
5. Pourquoi Labro suppliait-il le bon Dieu de faire prendre du

poisson à son compagnon?
6. Comment s'est modifié chez Jules l'attitude devant la vie?
7. Pourquoi était-il indispensable de tuer Labro?
8. Qu'est-ce qui allait arriver pendant qu'ils étaient en mer?

pages 126–129

1. En quoi Jules se montre-t-il cruel?
2. Décrivez sa conduite pendant la partie de boules.
3. Quelle impression avez-vous de Mme Labro?
4. De quoi se plaint le patron de *l'Arche de Noé*?
5. De quelle manière Labro s'humiliait-il?
6. Pourquoi Labro n'allait-il pas trouver la police?
7. Aurait-on raison d'appeler Jules sadique?
8. Quel intérêt Jules aurait-il à voir Labro divorcer?
9. Relevez un passage qui suggère que Jules est en train de pousser Labro trop loin.

pages 130–133

1. Quelle question posée par Jules devenait une révélation pour Labro? Pourquoi?
2. Pourquoi Labro s'est-il mis à épier son compagnon?
3. Quelle transformation a eu lieu dans son esprit?
4. En quoi ses préoccupations sont-elles différentes de celles d'avant la « révélation »? Trouvez-vous cette transformation vraisemblable?
5. Qui est-ce que les deux hommes rencontraient en mer?
6. Quel danger existait-il et que Jules ignorait?
7. Pourquoi fallait-il choisir huit heures moins le quart?
8. Quelles précautions Labro prenait-il sur le bateau?
9. Pourquoi Labro a-t-il attendu si longtemps avant de demander à Jules son nom de famille?
10. Quelle est la réaction qui a suivi la peur de Labro?
11. Pourquoi s'est-il levé?
12. Dans quelle mesure peut-on dire que Jules est responsable de sa propre mort?

pages 134–136

1. Pourquoi Labro avait-il oublié tout ce qu'il avait soigneusement combiné?

2. Qu'a vu le gardien du sémaphore?
3. Pourquoi *l'Armoire à Glace* était-il sens dessus dessous?
4. Pourquoi Vial n'avait-il rien vu?
5. Lorsque Labro s'était approché de Jules à bord de *l'Armoire à Glace,* quelle transformation subite s'est manifestée chez ce dernier?
6. Pour quelles raisons Labro ne pouvait-il plus reculer?
7. Pourquoi les deux hommes ont-ils basculé en même temps?
8. Comment Labro s'est-il dégagé de Jules? Comment est-il sorti de l'eau?
9. Pourquoi Labro avait-il les larmes aux yeux?

pages 136–139

1. Pourquoi Labro avait-il à peine besoin de mentir?
2. D'où vient que le village a un parti pris si prononcé contre Jules?
3. Quelle réponse révélatrice de Labro passe inaperçue?
4. Pourquoi Labro se sentait-il malheureux et inquiet?
5. Qu'a-t-il appris quant à l'identité de Jules?
6. Comment Jules avait-il perdu sa jambe en réalité?
7. Jules avait-il jamais été au Gabon?
8. Quel a été l'effet sur Labro de cette découverte?

pages 139–141

1. Pourquoi a-t-on prêté si peu d'attention aux mots de Labro, même lorsqu'il avouait avoir tué Jules?
2. Qu'est-ce que Labro trouvait trop affreux?
3. En quoi l'atmosphère de *l'Arche de Noé* était-elle différente maintenant?
4. Pourquoi, à votre avis, Labro a-t-il refusé le coup de blanc?
5. A quoi fallait-il qu'il s'habitue?
6. Quelle semble être maintenant l'attitude de Labro à l'égard de Jules?
7. Qu'est devenu le vrai Jules Chapus?
8. Quel rôle le hasard joue-t-il dans cette nouvelle?

exercises

Exercise 1:
à *with*

MODÈLE: **—Comment est-ce qu'on appelle de la cretonne qui a des carreaux rouges?**
—De la cretonne à carreaux rouges.

Répondez selon le modèle. Comment est-ce qu'on appelle:

1. de la cretonne qui a des carreaux rouges?
2. une loge qui a une porte vitrée?
3. une lampe qui a un abat-jour vert?
4. des lunettes qui ont une monture d'acier?
5. une maison qui a un seul étage?
6. une chemise qui a de courtes manches?
7. un monstre qui a deux têtes?
8. un commode qui a plusieurs tiroirs?

MODÈLE: **—Comment est-ce qu'on appelle la jeune fille qui a les yeux bleus?**
—La jeune fille aux yeux bleus.

Comment est-ce qu'on appelle:

9. le garçon qui a les yeux verts?
10. le monsieur qui porte un veston gris?

11. la femme qui a les cheveux presque noirs?
12. la femme qui a les sourcils très dessinés?
13. l'homme qui a une barbe?
14. la jeune fille qui porte une robe blanche?
15. le soldat qui porte des bottes lourdes?
16. le monsieur qui porte un chapeau melon (*derby*)?
17. la jeune fille qui a un sourire charmant?
18. le jeune homme qui a l'air étonné?

MODÈLE: **—Comment est-ce qu'on appelle une soupe qui contient des légumes?**
—Une soupe aux légumes.

Comment est-ce qu'on appelle:

19. une soupe qui contient des lentilles?
20. une glace faite avec du chocolat?
21. une glace faite avec de la vanille?
22. une tarte qui contient des fraises?
23. une salade qui contient des légumes?
24. un gâteau qui contient des amandes?
25. une tarte qui contient de la crème?

Exercise 2:

s'agir de *to be a question of*

MODÈLE: **—De quoi s'agit-il? (une idée baroque)**
—Il s'agit d'une idée baroque.

Répondez selon le modèle. De quoi s'agit-il?

1. une idée bizarre
2. le meurtre de Goldfinger
3. faire transporter le corps à l'Institut médico-légal
4. argent
5. diamants
6. empreintes digitales

7. alerter la police
8. attraper l'assassin
9. surveiller les deux femmes
10. les idées de Maigret

NOTE: There is another use for **s'agir de**:
***Dans* ce livre (roman, film) *il s'agit d'*un meurtre.**
This book (*novel, film*) is about *a murder*.

MODÈLE: **—Ce roman ... un homme qui fait un voyage**
—Dans ce roman il s'agit d'un homme qui fait un voyage.

1. Cette nouvelle ... un meurtre bizarre.
2. Ce conte ... une femme qui souffre d'amnésie.
3. Ce poème ... un amour tragique.
4. Cette chanson ... une querelle d'amoureux.
5. Cet article ... l'administration municipale.
6. Cette fantaisie ... une bête qui habite dans la lune.

Exercise 3:
d'un air (+ adj.) *in a* (adj.) *manner*
avoir l'air (de) *to seem* (*to*)

MODÈLES:
a. **—Il regardait autour de lui comme s'il était maussade.**
—Il regardait autour de lui d'un air maussade.
b. **—Il paraissait maussade.**
—Il avait l'air maussade.
c. **—Il semblait se douter de quelque chose.**
—Il avait l'air de se douter de quelque chose.

Changez les phrases suivantes selon les modèles.
1 a. Il me regardait comme s'il était pensif.

b. Il paraissait pensif.
c. Il semblait penser à quelque chose.
2 a. Elle sourit comme si elle était heureuse.*
b. Elle paraît heureuse.*
c. Elle semble sourire.
3 a. Vous marchez comme si vous étiez pressé.
b. Vous paraissez pressé.
c. Vous semblez vous presser.
4 a. Elles sont sorties comme si elles étaient fâchées.
b. Elles paraissaient fâchées.
c. Elles semblaient se fâcher.
5 a. Colette cherchait ses gants comme si elle était distraite.
b. Colette paraissait distraite.
c. Colette semblait chercher quelque chose.
6 a. Ils se sont levés comme s'ils étaient satisfaits.
b. Ils paraissaient satisfaits.
c. Ils semblaient avoir bien mangé.
7 a. Elle tournait les pages comme si elle était préoccupée.
b. Elle paraissait préoccupée.
c. Elle semblait méditer.

Exercise 4:

s'attendre à *to expect* (events or actions)

NOTE: When *persons* or *concrete objects* are expected, **attendre** alone is used.

Nous attendons Jean et sa sœur. *We're expecting John and his sister.*

J'attendais une lettre. *I was expecting a letter.*

MODÈLE: **—Je crois qu'il y aura un malheur**

—Je m'attends à un malheur.

***d'un air heureux; elle a l'air heureux** The adjective modifies **air**, and is therefore always masculine singular.

Changez les phrases suivantes selon le modèle.

1. Je crois qu'il y aura une révolte.
2. Nous croyons qu'il y aura des changements importants.
3. Il croit qu'il gagnera une victoire éclatante.
4. Elles croyaient qu'il y aurait une tempête de neige.
5. Ils croyaient qu'il y aurait un beau coucher de soleil.

MODÈLE: **—Vous vous attendez à un malheur?**
—Oui, je m'y attends.

6. Vous vous attendez à une révolte?
7. Ils s'attendent à des changements importants?
8. Est-ce qu'il s'attendait à cette victoire éclatante?
9. Est-ce qu'elles s'attendaient à cette tempête de neige?
10. Vous vous attendiez à ce beau coucher de soleil, n'est-ce pas?

MODÈLE: **Il croit qu'il verra l'inspecteur.**
a. **Il s'attend à voir l'inspecteur.**
b. **Il s'y attend.**

11. Il croit qu'il verra Maigret.
12. Je crois que je prendrai le train de huit heures.
13. Elle croyait qu'elle entendrait une autre symphonie.
14. Nous croyions que nous perdrions une demi-heure.
15. Il croit qu'il réussira à l'examen.

MODÈLE: **Maigret croyait que la jeune fille ferait cela.**
a. **Maigret s'attendait à ce que la jeune fille fasse cela.**
b. **Maigret s'y attendait.**

16. Je croyais qu'elle m'écrirait une lettre.
17. Elle croyait que je prendrais le train.
18. Je croyais qu'il serait très occupé.
19. Maigret croyait qu'elle dirait un mensonge.
20. Je croyais que vous seriez levé avant dix heures.

Exercise 5:
avoir beau + inf. *to do something in vain*

NOTE: This is the least colloquial of a number of possible English equivalents. **J'ai beau crier, il ne m'entend pas** may be rendered:
I'm shouting for nothing, he doesn't hear me.
There's no use (in my) shouting, he doesn't hear me.
It's useless (for me) to shout, he doesn't hear me.
I'm shouting in vain, he doesn't hear me.
Avoir beau + inf. rarely stands alone; it is normally followed by a description of the situation upon which the infinitive (in this case **crier**) has no effect.

MODÈLE: **—Vous criez, mais il ne vous entend pas.**
—Vous avez beau crier, il ne vous entend pas.

Changez les phrases suivantes selon le modèle.
1. Maigret proteste, mais il faut s'occuper de l'escroc.
2. Mathilde cherche, mais elle ne retrouve pas le revolver.
3. Vous insistez, mais je ne peux pas venir.
4. Je protestais, mais il fallait me lever.
5. Nous étudions, mais nous ne comprendrons jamais cette leçon.
6. Tu pleureras, mais la situation restera toujours la même.
7. Vous le suppliez, mais il ne reviendra pas.
8. J'ai dit « Allô », mais il n'y avait personne au bout du fil.
9. Elle essaie, mais elle ne réussira jamais.
10. Vous sonnez, mais on ne répond pas.

Exercise 6:
avoir besoin de *to need*

MODÈLE: **—un stylo / J'ai besoin d'un stylo.**
—mon parapluie / J'ai besoin de mon parapluie.
—du vin / J'ai besoin de vin.

Dites que vous avez besoin des choses suivantes.

1. un stylo
2. un crayon
3. une tasse
4. une autre tasse
5. un verre d'eau
6. votre imperméable
7. ces livres
8. mes conseils
9. trois cents francs
10. l'argent que vous m'avez prêté
11. l'auto
12. du vin
13. de l'argent
14. des crayons
15. du pain
16. de l'encre
17. de la lumière
18. de l'aide
19. des conseils
20. du papier

Exercise 7:
avoir quelque chose à faire *to have something to do*

MODÈLE: **—Je dois poser une question.**
—J'ai une question à poser.

Changez les phrases suivantes selon le modèle.

1. Il doit poser une question.

2. Elle doit écrire des lettres.
3. Je dois lire un livre.
4. Je ne dois rien faire.
5. On ne doit rien faire. (Il n'y a ...)
6. On doit étudier des leçons. (Il y a ...)
7. Nous devons manger des pommes.
8. Jean doit dire quelque chose.
9. Mes sœurs doivent faire des lits.
10. Paul doit vous donner quelque chose.
11. On doit discuter des projets.
12. Nous devons vendre une maison.
13. Je dois faire un coup de téléphone.
14. Goldfinger devait vendre des diamants.
15. Maigret devait interroger un escroc international.

Exercise 8:
à cause de *because of*

MODÈLE: **—Il a pris un taxi parce qu'il pleuvait.**
—Il a pris un taxi à cause de la pluie.

Changez les phrases selon le modèle.

1. Il a pris un taxi parce qu'il pleuvait. (la pluie)
2. Ils ne voyaient pas bien parce qu'il faisait obscur. (l'obscurité)
3. Il a échoué parce qu'il est paresseux. (sa paresse)
4. Elle s'est couchée parce qu'elle était fatiguée. (sa fatigue)
5. Je garde le lit parce que je suis malade. (ma maladie)
6. Nous ne sortons pas parce qu'il fait mauvais. (le mauvais temps)
7. Je me bouche les oreilles parce qu'on fait du bruit. (le bruit)
8. Ils ont quitté la ville parce qu'il faisait chaud. (la chaleur)
9. Je préfère cette peinture parce qu'elle a des couleurs vives. (ses couleurs vives)
10. Il ne va pas nager aujourd'hui parce qu'il est enrhumé. (son rhume)

Exercise 9:

connaître *to know, be acquainted with*
savoir *to know, know how to*

NOTE: If what is known can be *told, repeated,* or *performed,* **savoir** is used; if it can be only *recognized* or *described,* **connaître** is used. Persons and places normally fall into the latter category.

Employez **connaître ou savoir** dans les phrases suivantes.

1. Mathilde (did not know) l'inspecteur Lucas.
2. Elle (knew) où elle était.
3. (Do you know) cette petite auberge?
4. (I don't know) cet auteur.
5. (We didn't know) que vous étiez là.
6. L'Auvergne est une région qu'il (knows) très bien.
7. Henri (knows) sa leçon de français.
8. Charles (knows) très bien les peintres impressionnistes.
9. Si je (knew) quand il arrive, je vous le dirais.
10. Paul (knows) plusieurs des châteaux de la Loire.
11. Quelle est cette musique? Je ne la (know) pas.
12. (Do you know) ce qu'elle fait à ce moment?
13. Renée (doesn't know how to) conduire une auto.
14. Monsieur Vallin (knows) presque tous les pays de l'Europe.
15. La petite fille (knows) par cœur « Le Corbeau et le renard ».

Exercise 10:

Devoir + inf. (to express necessity, obligation)

EXEMPLES: **—Dois-je vous envoyer copie des rapports?**
Must I send you copies of the reports?

—**J'ai dû lui répéter ...** *I had to repeat to her . . .*

Répétez les phrases suivantes en traduisant les mots anglais entre parenthèses.

Au présent

1. Mon enfant, tu (must pay attention) à ce que je te dis.
2. Vous savez bien ce que vous (must answer).
3. (I am obliged to do) tout cela sans me plaindre.
4. (You must see) ce film-là—il est épatant!

Au passé composé

5. Leurs cousins (had to take) un autre train.
6. Avant de faire mes achats, (I was obliged to stop) à la banque.
7. L'élève (had to justify himself) devant son accusateur.
8. (We had to) refaire la leçon que nous avions préparée.
9. (They have had to) faire réparer le toit de leur maison.

A l'imparfait

10. La jeune femme (was obliged to take care of) ses enfants du matin au soir.
11. (We had to keep) toujours les fenêtres fermées.

Au futur

12. Robert (will have to return) de bonne heure demain.
13. (They will have to) faire leurs valises à l'avance.
14. (We'll have to study) beaucoup pendant les vacances.

Exercise 11:

Devoir + inf. (to express probability, conjecture, inference)

EXEMPLES: —**Il doit y avoir erreur.** *There must be some mistake.*

—**Elle n'est pas arrivée, elle a dû manquer le train.** *She didn't get here, she must have missed the train.*

—On devinait que la phrase devait être ... *One could guess that the sentence must be . . .*

Répétez les phrases suivantes en traduisant les mots anglais entre parenthèses.

Au présent

1. Je ne vois personne, (we're probably) en avance.
2. (You must know) ce monsieur-là, c'est le Président!
3. Jeanne n'est plus ici, (she's probably at home) maintenant.
4. L'enfant n'est pas allé à l'école, (he must be) malade.

Au passé composé

5. Henri est si confus! (He must have forgotten) son argent!
6. Cette réponse favorable (must have given him) beaucoup d'espoir.
7. (They probably got off) à une autre gare, car elles ne sont pas descendues ici.
8. Marcel est arrivé tout essoufflé, (he probably hurried).

A l'imparfait

9. Le pauvre homme (must have been dying) de faim.
10. La veuve (probably didn't read) régulièrement les journaux.
11. La musique qu'ils jouaient (must have been) du Mozart, car elle m'était très familière.
12. Le jeune homme (must have worn) son beau costume bleu seulement le dimanche.
13. (There must have been) des centaines de personnes assemblées sur la place.

Exercise 12:

Devoir + inf. (to express judgment, opinion, advice)

EXEMPLES: **—Il devrait se coucher.** *He ought to go to bed.*
—L'appartement où la veuve ... aurait dû se trouver. *The apartment where the widow . . . should have been.*

Répétez les phrases suivantes en traduisant les mots anglais entre parenthèses.

Au conditionnel

1. Je sais bien que (I ought to work) davantage.
2. (Should she go out) si souvent avec ce jeune homme-là?
3. (You shouldn't follow) ses conseils, suivez les miens.
4. (We ought to hurry) si nous comptons arriver à l'heure.
5. Savez-vous ce que (you should do) pour être heureux?

Au conditionnel antérieur

6. Les enfants (shouldn't have said) une chose pareille.
7. Il a trop attendu pour se marier, (he ought to have married) il y a longtemps.
8. Les livres n'étaient pas là où (they should have been).
9. Deux heures de travail (ought to have sufficed).
10. (I shouldn't have made fun of him.)
11. (You ought to have warned me) qu'ils étaient là.

Exercise 13:

Devoir + inf. (to express expectation, intention, anticipation)

EXEMPLES: —**Si je dois retourner seul au port ...** *If I am to return alone to port . . .*

—**Comme devait le confirmer l'homme du sémaphore ...** *As the man at the signal post was to confirm . . .*

Répétez les phrases suivantes en traduisant les mots anglais entre parenthèses.

Au présent

1. Le professeur Matoré (is to give his lecture) à dix heures.
2. Je ne sais pas où (I'm supposed to go).
3. Selon le contrôleur, ce train (is scheduled to stop) à Poitiers.
4. (We are to wait for him) jusqu'à demain s'il le faut.

A l'imparfait

5. Sa mère (was to declare) plus tard que son fils était sournois et ingrat.
6. Les étudiants (were supposed to study) le sujet à fond.
7. Comme c'était triste! Les amants (were never to see each other again).
8. (We were supposed to meet them) dans un petit village de Bretagne.
9. Dans sa vieillesse (he was to remember) ce bon moment très souvent.
10. Les acteurs (were scheduled to present) une comédie de Molière jeudi dernier.

Exercise 14:
de + noun = adj.

MODÈLES: **—Une photographie qui représente une femme**
—Une photographie de femme
—Un livre qui explique le français
—Un livre de français

Changez les expressions suivantes selon les modèles.

1. un chapeau que porterait un homme
2. une main qui ressemble à celle d'une jeune fille
3. un livre dans lequel on étudie l'histoire
4. un uniforme qui fait penser à un soldat
5. des cendres qu'on trouve au bout d'un cigare
6. la classe où l'on étudie la psychologie
7. un conte dont les personnages sont des fées
8. des raisons que donnerait un inspecteur de police
9. un inspecteur employé dans la police
10. un coup qu'on donne au téléphone (a phone call)
11. une maison où l'on va pour sa santé (a sanatorium)
12. des leçons qui enseignent la musique
13. une robe du type qu'on associe avec les vieilles dames

14. un article qu'on publie dans un journal
15. le chef qui s'occupe de la gare (the stationmaster)

Exercise 15:

être **(se) mettre** **(se) tenir**	**au courant (de)**	*to be informed (about)* *to inform (about)* *to keep informed (about)*

Remplacez les expressions anglaises par des expressions françaises équivalentes.

1. (Did your husband use to inform you about) toutes ses affaires?
2. Je vous demanderai de (keep me informed).
3. Les gens du quartier (had knowledge of) ce qui se passait.
4. (He keeps us posted.)
5. Mon frère (keeps abreast) des affaires internationales.
6. Gisèle (has brought herself up to date on) la haute couture.
7. (I don't know much about) la « nouvelle vague » au cinéma.
8. (Did he fill you in on) la situation?
9. (Tell me all about) votre projet.
10. (I'll keep you informed on) tous mes mouvements.

Exercise 16:

le jour	**le matin**	**le soir**
la journée	**la matinée**	**la soirée**

Dans chacune des phrases suivantes, remplacez l'expression anglaise par l'expression française qui convient.

1. Elle passe (the morning) à faire le ménage.
2. Nous passerons quelques (days) à Marseille.
3. Il faisait chaud (on the day) de son mariage.
4. Ils ont causé (all evening).

5. Nous avons passé de (beautiful mornings) sur la plage.
6. (The evenings) que je passe avec Marie sont magnifiques.
7. L'aube précède toujours (the day).
8. Je vous souhaite (a fine day).
9. (My morning) m'a profondément satisfait.
10. Pierre sort (every morning) à sept heures et demie.
11. Nous avons travaillé (all day).
12. Je n'ai qu' (one morning) à consacrer à cette besogne.
13. Nous passons nos (mornings) en classe.
14. Nous étudions (in the evening).
15. Jean a passé (the entire day) à écrire cette composition.

Exercise 17:

pas de *not any, no* (+ noun)

MODÈLES: **—J'ai un crayon.**
—Je n'ai pas de crayon.
—Il boit du vin.
—Il ne boit pas de vin.

Suivant les modèles, changez les phrases suivantes au négatif.

1. Elle a un livre.
2. Je prendrai du vin.
3. Il a des amis à Bordeaux.
4. Nous voyons un taxi.
5. Il porte un chapeau.
6. Il y a une rose dans le vase.
7. Je vois une cravate sur la commode.
8. Il y avait un ascenseur dans l'immeuble.
9. Je vous donnerez de l'argent.
10. Elle lui enverra un cadeau.
11. Mon ami a une auto.
12. J'entends une cloche.
13. Il y avait une abeille dans votre chambre.
14. Je vois un navire à l'horizon.
15. Elle veut du café.

Exercise 18:

penser à *to think about*
penser de *to think of*

NOTE: Since *about* and *of* are frequently interchangeable, it is essential to remember the following points.

1. In **penser à** the verb is invariably *intransitive*, and à alone governs the object.
2. In **penser de** the verb is *transitive*, and since the expression is used almost exclusively to solicit an opinion, it normally occurs *only* in direct questions beginning with **que** or **qu'est-ce que**, and in indirect questions introduced by **ce que**.

   Que pensez-vous de cela?
   Qu'est-ce que vous en pensez?
   Dites-moi ce que vous en pensez.

MODÈLE: **—A qui pensez vous? (le petit courtier)**
—Je pense au petit courtier.

Répondez selon le modèle. A qui pensez-vous?

1. Goldfinger
2. sa femme
3. l'inspecteur
4. mon camarade
5. mes parents
6. Jules
7. les deux femmes
8. la concierge
9. Mme Maigret
10. les agents de police

MODÈLE: **—Est-ce qu-il pense au petit courtier?**
—Oui, il pense à lui.

Est-ce qu'il pense:

1. à Goldfinger?
2. à sa femme?
3. à moi?
4. à Jules?
5. à ses parents?
6. aux camarades?
7. à la concierge?
8. aux deux femmes?
9. à vous?
10. aux agents de police?

MODÈLE: **—A quoi pensez-vous? (le crime; attraper le criminel)**
—Je pense au crime. Je pense à attraper le criminel.

A quoi pensez-vous?

1. le meurtre
2. le lieu du crime
3. les autobus dans la rue
4. les réponses des deux femmes
5. surveiller l'immeuble
6. rentrer chez moi

MODÈLE: **—Est-ce que vous pensez au crime (à attraper le criminel)?**
—Oui, nous y pensons.

Est-ce que vous pensez:

1. au meurtre?
2. au corps mort?
3. à la mort de Stan le Tueur?
4. à relever les empreintes?
5. à faire photographier le corps?
6. à ce que vous ferez après?

MODÈLE: **—Demandez-moi ce que je pense de Maigret.**
—Que pensez-vous de Maigret?

Demandez-moi:

1. ce que je pense de Lognon
2. ce que je pense de sa méthode
3. ce que je pense du meurtre
4. ce que je pense de l'assassin
5. ce que je pense de Mme Goldfinger
6. ce que je pense de sa sœur
7. ce que je pense de l'immeuble où elles habitent
8. ce que je pense de leur appartement
9. ce que je pense des inspecteurs
10. ce que je pense de vous

Répétez le même exercice selon ces nouveaux modèles.

MODÈLES: a. **—Demandez-moi ce que je pense de Maigret.**
—Que pensez-vous de lui?
b. **—Demandez-moi ce que je pense de ses idées.**
—Qu'est-ce que vous en pensez?

Exercise 19:

l'un de (à, pour, etc.) l'autre *about* (*to, for,* etc.) *each other*

NOTE: In French, the preposition is invariably placed *between* **l'un (l'une, les uns, les unes)** and **l'autre (les autres).**

MODÈLES: a. **—L'un ne savait rien de l'autre**
—Ils ne savaient rien l'un de l'autre
b. **—L'une écrit à l'autre**
—Elles s'écrivent l'une à l'autre
c. **—Les uns se battent avec les autres**
—Ils se battent les uns avec les autres

Changez les phrases suivantes selon les modèles.

1. L'un ne savait rien de l'autre.
2. L'un parle à l'autre.
3. L'une donne des cadeaux à l'autre.
4. Les uns sont sortis avec les autres.
5. L'un a téléphoné à l'autre.
6. L'une parlait de l'autre.
7. L'un s'est souvenu de l'autre.
8. Les uns se sont assis en face des autres.
9. L'un a lutté contre l'autre.
10. L'un demandait des conseils à l'autre.
11. L'une a fait mal à l'autre.
12. L'un faisait de petits services pour l'autre.
13. L'une a pris sa place à côté de l'autre.
14. L'un s'en voulait à l'autre.
15. Les uns se plaignaient des autres.

Exercise 20:

en vouloir à *to be angry at, put out with*

MODÈLE: **—Maigret m'a fait de la peine, et je ...**
—Je lui en veux.

Complétez les phrases suivantes selon le modèle.

1. Son frère lui a fait de la peine, et elle ...
2. Vous m'avez offensé, et je ...
3. Elle nous a insultés, et nous ...
4. Leurs amis les ont offensés, et ils ...
5. J'ai oublié de lui écrire, et il ...
6. Roger a posé un lapin à Suzy (*stood Suzy up*), et elle ...
7. Elles ne nous ont pas écrit, et nous ...
8. Nous avons joué un mauvais tour à Blanche, et elle ...
9. Vous lui avez menti, et il ...

MODÈLE: **—Maigret m'a fait de la peine, mais je ...**
—Je ne lui en veux pas.

10. Vous m'avez marché sur le pied, mais je ...
11. Henri a fait mal à Georges, mais celui-ci ...
12. Paul a oublié de nous téléphoner, mais nous ...
13. Vous avez pris son livre sans permission, mais il ...
14. Vous m'avez fait de la peine, mais je ...
15. J'ai fait mal à ma sœur, mais elle ...

Exercise 21:

il la vit ouvrir la bouche *he saw her open her mouth*
s'entourant la main d'un mouchoir *wrapping his hand in a handkerchief*

NOTE: When the part of the body actually performs the action, no object pronoun is used to denote possession. Here (**il la vit ouvrir la bouche**), the mouth opens. When the part of the body performs no action, the object pronoun must be used to express possession. Here (**s'entourant la main d'un mouchoir**), the hand passively receives the action of wrapping.

Traduisez en français.

1. He opens his eyes.
2. He cuts his finger (doigt, *m.*).
3. He breaks his leg (casser).
4. She wiggles her fingers (agiter).
5. I bump my head (cogner).
6. Pierre is scratching his head (gratter).
7. She closes her eyes.
8. We bend our knees (plier, genoux, *m.*).
9. They brush their teeth (brosser, dents, *f.*).
10. She raises her hand.
11. They bite their nails (ronger, ongles, *m.*).
12. I shrug my shoulders (hausser, épaules, *f.*).
13. She rubs her eyes (frotter).

14. My father shakes his head (secouer).
15. We stop our ears (boucher, oreilles, *f.*).

Exercise 22:

J'ai un peu dormi *I slept a little*

NOTE: Short, irregular adverbs normally precede the past participle in the *passé composé.*

MODÈLE: **—Je dors un peu.**
—J'ai un peu dormi.

Changez au passé composé les phrases suivantes, selon le modèle.

1. Je dors bien.
2. Il mange trop.
3. Vous étudiez assez.
4. Vous faites bien.
5. Elle lit un peu.
6. Nous chantons beaucoup.
7. J'achète tout.
8. Je comprends peu.
9. Elle joue bien.
10. Ils lisent tout.
11. Nous rions beaucoup.
12. Vous travaillez assez.
13. Il parle trop.
14. J'habite toujours Paris.
15. Il finit tout.
16. Vous dormez trop.
17. Nous voyons assez.
18. Il dort peu.
19. Je cours beaucoup.
20. Il boit un peu trop.

vocabulary

The vocabulary does not include certain elementary pronouns, adjectives, and conjunctions; regular adverbs in **-ment** (unless they have special meanings); and words whose form and meaning are similar in French and English. The following abbreviations are used:

abbr.	abbreviation	*m.*	masculine
adj.	adjective	*n.*	noun
adv.	adverb	*p. def.*	past definite
cond.	conditional	*pej.*	pejorative
conj.	conjunction	*pl.*	plural
f.	feminine	*pop.*	popular
fam.	familiar	*p. p.*	past participle
fig.	figurative	*prep.*	preposition
fut.	future	*pres.*	present
impers.	impersonal	*pres. p.*	present participle
impf.	imperfect	*subj.*	subjunctive
inf.	infinitive	*v.i.*	intransitive verb
lit.	literal	*v.t.*	transitive verb

s'abaisser to lower oneself
l'abat-jour, *m.* lampshade
l'abattement, *m.* dejection
l'abeille, *f.* bee
abonné: être — à to subscribe to (*a periodical*)
l'abord, *m.* approach; **d'—** at first
aborder to land, accost
aboyer to bark
abréger to shorten
l'abri, *m.* shelter; **mettre à l'—** to protect
absolu absolute
abuser (de) to abuse, take unfair advantage (of); **s'—** to be mistaken
l'acajou, *m.* mahogany

acariâtre shrewish, sour
accompagner to accompany
l'accord, *m.* agreement; **être d'——** to agree
accorder to grant, give
l'accostage, *m.* drawing alongside
accoster to draw alongside
s'accouder to lean on one's elbows
accrocher to hook, hang; **s'—— à** to get hold of, hang on to
accru increased
accueillir to welcome, greet
s'acharner sur to pursue, harass
acheter to buy
achever to finish, complete
l'acuité, *f.* acuteness
adapter to fit
adjoint, *adj.* assistant, associate
l'adjudant, *m.* sergeant-major
admettre to admit
admirati–f, –ve admiring
adoucir to soothe
l'adresse, *f.* address
adresser to address, direct; **—— le bonjour à** to greet
advenir to happen, occur
aérer to air out
affaiblir to weaken
l'affaire, *f.* affair, matter; **les ——s** business
affreu–x, –se frightful, ghastly
afin de in order to
afin que in order that
l'Afrique, *f.* Africa
l'âge, *m.* age; **d'un certain ——** middle-aged; **un homme d'——** a mature man
agenouillé kneeling
l'agent, *m.* policeman; **—— cycliste** bicycle policeman
s'agir de, *impers.* to be a question of
s'agiter to move about, stir
agréable pleasant
agressi–f, –ve aggressive, garish (*in color*)
ahuri bewildered
ahurissant bewildering, perplexing, confusing
l'ahurissement, *m.* bewilderment
l'aide, *f.* aid; **lui venir en ——** to come to his assistance
aïe ouch
aigu sharp
l'aiguille, *f.* needle, hand (*of clock*)
ailleurs elsewhere; **d'——** besides; **—— que** somewhere else than
aimable nice, obliging
aimer to like, love; **—— mieux** to prefer
ainsi thus, so; **—— que** like, as; **pour —— dire** so to speak
l'air, *m.* air, appearance, aspect; **avoir l'——** to seem, appear; **d'un —— entendu** in a shrewd, knowing way; **prendre un —— buté** to assume a stubborn appearance
l'aise, *f.* ease, comfort, relief
l'aisselle, *f.* armpit
ajouter to add
alentour, *adv.* all around
alerter to notify, call in

l'aliment, *m.* food
l'allée, *f.* going; **leurs —s et venues** their comings and goings
aller to go; **allons!** come on!; **s'en —** to go away
allô hello
allonger to extend, stretch out
allumer to light; **s'—** to light up
l'allure, *f.* bearing, behavior, appearance
alors then, at that time, so; **— que** when, at the time that
alourdi made heavy, dulled
l'alpaga, *m.* alpaca
l'amande, *f.* almond
l'amant, *m.* lover
l'amarre, *f.* hawser, rope (*nautical*)
amarré moored
l'amende, *f.* penalty, fine
amener to bring
amer, amère bitter
l'amertume, *f.* bitterness
l'ameublement house furnishings
l'ami, *m.* friend
l'amitié, *f.* friendship
amorcer to begin, put in motion
amoureu–x, –se, *adj.* in love; *n.* boy (girl) friend
l'amour-propre, *m.* self-esteem
l'ampoule, *f.* light bulb
Amsterdam *chief Dutch seaport, noted for its diamond trade*
l'an, *m.* year
l'anchois, *m.* anchovy
ancien, –ne former
l'âne, *m.* ass
angoisse distressed
s'ankyloser to grow stiff
l'année, *f.* year
l'anniversaire, *m.* birthday, anniversary
annoncer to announce
anthropométrique: la fiche — *file card bearing detailed physical description*
l'antichambre, *f.* vestibule
l'anxiété, *f.* anxiety, concern
apaiser to calm, appease
apercevoir to perceive; **s'—** to notice
l'apéritif, *m.* appetizer (*alcoholic*)
s'aplatir to flatten out
l'aplomb, *m.* self-possession
apparaître to appear
l'appareil, *m.* appliance, instrument; **— de secours** alarm box
l'apparence, *f.* appearance; **en —** ostensibly
appartenir (à) to belong (to)
l'appel, *m.* call, appeal
appeler to call, name; **s'—** to be named
apporter to bring, bring about
apprendre to learn, teach, inform
approcher to approach, draw near; **s'— de** to come close to
approfondir to deepen; **s'—** to become deeper
appuyer to stress; **s'—** to lean
après after; **— coup** afterwards; **d'—** according to

l'**après-midi,** *m. or f.* afternoon
l'**araignée,** *f.* spider
l'**arbre,** *m.* tree
l'**arête,** *f.* ridge, edge
l'**argent,** *m.* money
armé armed
l'**armée,** *f.* army
l'**armoire,** *f.* wardrobe (*furniture*); **l'—— à glace** wardrobe with mirror attached
l'**armurier,** *m.* firearms expert
arracher to rip out, snatch
arranger to settle; **s'——** to do the best one can, make do
l'**arrestation,** *f.* arrest
l'**arrêt,** *m.* stop; **le mandat d'——** arrest warrant
(s') **arrêter** to stop
arrière backwards; **renversé en ——** leaning back
l'**arrivée,** *f.* arrival
arriver to arrive, happen; **—— à** to succeed in; **il lui arrive de rêver** he sometimes dreams, is given to dreaming
articuler to utter
l'**as,** *m.* ace
l'**ascenseur,** *m.* elevator
l'**assassinat,** *m.* murder
s'asseoir to sit down
assez enough, rather, quite; **en avoir ——** to be fed up
l'**assiette,** *f.* plate, dish; **ne pas être dans son ——** not to feel up to par, not to be oneself
assis seated, sitting
assister à to be present at, attend
s'assoupir to doze off
les **assurances,** *f.* insurance
assurer to insure; **s'—— de (que)** to make sure of (that)
astiquer to polish
s'attabler to sit down at table
attacher to attach, tie; **s'—— à ses pas** to dog his footsteps
attaquer to attack
atteindre to reach, arrive at, hit
attendre to wait (for); **s'—— à** to expect; **en attendant** in the meanwhile
s'attendrir to be moved to pity, become maudlin
l'**attente,** *f.* waiting; **la salle d'——** waiting room
attenter: pour —— à ses jours for attempting to take his own life
l'**attention,** *f.* attention; **faire ——** to pay attention; **——!** look out!
attirer to draw, attract
attraper to catch, catch hold of
l'**aube,** *f.* dawn
l'**auberge,** *f.* inn
aucun, *adj.* no, not any
au-delà de beyond
au-dessus de above
aujourd'hui today
auparavant before, formerly
aussi also; **——... que** as . . . as
l'**aussière,** *f.* hawser
aussitôt immediately
autant as much; **d'—— plus ... que** all the more . . . because

l'auteur, *m.* author
l'autobus, *m.* bus
l'autocar, *m.* intercity bus
autour (de) around
autre other; — **chose** something else
autrefois long ago
autrement otherwise; — **dit** in other words
avaler to swallow
l'avance, *f.* advance; **d'—** in advance
(s') avancer to advance, come forward
avant before, beforehand; — **que** before; **à l'—** in the forepart; **en —** in front, forward
l'avantage, *m.* advantage
avant-hier day before yesterday
avare miserly
avec with
l'averse, *f.* downpour
avertir to inform, let know
avidement eagerly
l'avion, *m.* airplane
l'avis, *m.* opinion
l'avocat, *m.* lawyer
avoir to have; — **du mal à** to have difficulty in; — **honte** to be ashamed; — **le sommeil léger** to be a light sleeper; — **peine à** to have difficulty in; — **peur** to be afraid; — **raison** to be right; — **tort** to be wrong; **en — assez** to be fed up; **en — marre,** *pop.* to be fed up
avouer to confess; **s'—** to acknowledge, admit to oneself

le **bagne** workhouse, penal servitude
se **baisser** to stoop
le **balancement** swaying motion
balancer to swing, sway
balbutier to stammer
la **balle** bullet
banal commonplace
la **banalité** triteness
bander: — toute sa volonté to summon all one's willpower
la **banlieue** outskirts, suburbs
le **banlieusard** suburbanite
la **banquette** bench, seat (*of vehicle*)
le **baril** cask, barrel
baroque fantastic
la **barque** small boat
bas, –se low; **en —** downstairs; **parler —** to speak softly
le **bas** stocking, lower part
basculer to tip, fall
le **bateau** boat
bâti built
battant beating, pelting
le **battement** interval
battre to beat; **se —** to fight; — **en arrière** to move backward
le **baume** balm
le **bavardage** gossip, small talk
bavarder to gossip, chat
le **bazar** cheap department store
beau, belle beautiful, handsome; **avoir — faire** to

do in vain
beaucoup much, a lot
le **beau-frère** brother-in-law
le **bébé** baby
bel: —— et bien simply
le **bellâtre** fop, "smoothie"
belle: de plus —— harder than ever
la **belle-sœur** sister-in-law
le **bénéfice** benefit; **le —— de la réussite** credit for the success
le **bernard-l'ermite** hermit crab
la **besogne** task, chore
le **besoin** need; **avoir —— de** to need
bête stupid
la **bête** beast, animal
la **bêtise** stupidity; **des ——s** nonsense
le **beurre** butter
le **bibelot** knick-knack
la **bicoque** shanty, hovel
bien well, indeed, quite; **——, monsieur** very good, sir; **—— que** although; des gens **très ——** very respectable people; **ou ——** or else
bientôt soon
la **bière** beer
le **bigoudi** hair curler
le **bijou** jewel
la **bijouterie** jewelry shop
le **bijoutier** jeweler
le **billet** note, banknote
biseauté beveled
le **bistro(t)** café, tavern
la **bitte** bitt
blanc, -he white; **coup de ——** glass of white wine
le **blanc** white man
blême pale
blesser to wound, injure
la **blessure** wound
bleu blue
blotti huddled
la **bobèche** candle socket
le **bocal** glass jar
boire to drink; **—— un coup** to take a drink
le **bois** wood
la **boisson** drink, beverage
la **boîte** box; **—— crânienne** skull, brainpan
bomber to make round, flex (*muscles*)
bon, -ne good; **à quoi ——?** what's the use?; **faire ——** to be cozy, be comfortable
bondir to bound
le **bonheur** happiness, good fortune; **au petit ——** haphazardly
le **bonjour** good morning, greeting
le **bord** edge, brim (*of hat*); **à —— (de)** on board, aboard
la **borne: —— de Police-Secours** police alarm box
la **bouche** mouth
boucher to plug up
le **bouchon** cork; **tu sens le ——** you smell of wine
boucler, *pop.* to imprison
bouger to budge, move
la **bougie** candle
le **bougre,** *pop.* guy
le **boulantin** leader (*extreme end of fish line where hook is attached*)
la **boule** bowling ball; **jouer aux ——s** to bowl; **partie de ——s** game of bowls
bourbeu-x, -se muddy

bourdonner to buzz, hum
bourgeois middle class
le **bourreau** executioner, torturer
bourrer to stuff, fill
bourru rough, uncouth
la **bousculade** hustle and bustle
bousculer to jostle
le **bout** end, limit, little bit; **à — de fatigue** dog-tired; **au — de son rouleau** at the end of his rope; **du — de son index** with the tip of his index finger; **du — des lèvres** in a forced manner; **son — de jardin** his tiny garden; **un — de temps** a little while; **venir à — de** to overcome, subdue
la **bouteille** bottle
le **bouton** knob, switch, pimple
brancher to connect
brandir to brandish
branle: se mettre en — to start moving
le **bras** arm; **en — de chemise** in shirtsleeves
la **brasserie** tavern, bar
la **bravade** bravado
brave good, worthy
bravement bravely
bref, brève brief, in short, in a word
le **Breton** *inhabitant of Brittany*
la **bribe** fragment
le **brigadier** sergeant
briller to shine, gleam
le **brin** little bit
brique brick red, ruddy
le **briquet** lighter
la **brise** breeze
(se) **briser** to break
le **broc** jug
broncher to flinch
la **brouette** wheelbarrow
se **brouiller** to have a disagreement, have a falling out
le **browning** automatic pistol
le **bruit** noise
brûler to burn; **se —**, *fam.* to betray oneself
brun brown
le **brun** brown-haired man; **la —e** brunette
bruni dingy (*lit.*, made brown)
brusque abrupt, sudden
la **bruyère** briar
le **buffet** sideboard, buffet
le **buisson** bush
la **bulle** bubble
le **bureau** office, desk; **— de poste** post office; **garçon de —** office boy
buté obstinate, stubborn

ça that; **ah —!** well, of all things!
la **cabine** booth
la **cachette** hiding place
le **cadavre** corpse
le **cadeau** gift
le **cadran** dial
cadrer to fit
la **cage** cage; **— d'escalier** stairwell; **— vitrée** *small area (office) enclosed in glass panes and resembling a cage*
le **cagibi** small room, alcove
la **caisse** box, packing case, cash box, cashier's window

la **caissière** cashier
le **caisson** ammunition truck
la **calanque** cove
le **caleçon** pair of drawers
le **cambriolage** burglary
la **camelote** cheap merchandise
se **camper** to loiter
le **canal** (*pl.* **canaux**) canal, channel
la **canne** cane, rod; —— **à pêche** fishing rod
le **canon** barrel (*of gun*)
le **caoutchouc** rubber
les **capitaux,** *m. pl.* capital
car for, because
le **car** police wagon
le **carambouillage** swindling
la **carambouille** swindle, shady transaction
caresser to caress, fondle
le **cargo** cargo ship
le **carillon** chiming clock
le **carreau** square, check
le **carrefour** crossroads, intersection
la **carrière** career; **officier de** —— career officer
la **carrure** build (*anatomical*)
la **carte** card
le **cas** case; **en tout** —— in any case
le **casque** helmet; —— **colonial** pith (sun) helmet; —— **d'écoute** headset, earphones
le **casse-croûte** workman's lunch
casser to break; **à tout** —— tremendous; —— **la croûte** to have a bite to eat; —— **la gueule,** *fam.* to bash one's face in
la **casserole** pan, saucepan
catégorique peremptory
le **cauchemar** nightmare
la **cause: à** —— **de** because of
causer to chat
la **cave** cellar
ce, cette (*pl.* **ces**) this, that; these, those
la **ceinture** belt
cela that
célèbre famous
le **célibataire** bachelor; **la** —— spinster
celui, celle (*pl.* **ceux, celles**) the one, this one, that one; the ones, these, those; ——**-ci** the latter
la **cendre** ash
le **cendrier** ashtray
censé supposed
cent a hundred
la **centaine** about a hundred (*cf.* **vingtaine** score)
cérébral: faire une congestion —— to have a stroke
certain certain, fixed; **à** ——**e distance** at some distance; **à** ——**e heure** at a regular time; **à** —— **moment** at a certain moment
certes certainly
cesse: sans —— unceasingly
cesser to stop, cease
chacun each one
la **chaise** chair
la **chaleur** heat
la **chambre** bedroom; **faire les** ——**s** to clean (*or* tidy up) the bedrooms; **robe de** —— dressing gown
la **chance** chance, luck
changer to change, alter; ——

de place to move; **se —** to change one's clothes
chanter to sing, *fam.* to confess
le **chapeau** hat
chaque each
charger to put in charge, assign, entrust, load; **se — de** to take charge of, handle
la **charrette** cart; **— à bras** pushcart
chasser to hunt
le **chat** cat
chatouiller to tickle
chaud warm, hot; **avoir —** to feel warm; **donner —** to heat, warm up; **faire —** to be warm (*weather*)
chauffer to warm, heat
le **chauffeur** driver
chaussé shod, bridged
la **chaussure** shoe, footwear
chauve bald
la **chaux** lime; **four à —** lime-kiln
chavirer to capsize
le **chef** chief, boss; **— hiérarchique** immediate superior
le **chemin** way, road; **— de fer** railroad; **— faisant** on the way; **en —** on the way; **faire son —** to make one's way, progress
la **cheminée** chimney, fireplace, mantelpiece
cheminer to travel along
la **chemise** shirt; **en bras (manche) de —** in shirtsleeves
cher, chère, *adj.* dear, expensive; *adv.* dearly
chercher to search for, seek, rack one's brains; **— à** to try to
chéri dear, darling
le **chevet** head of bed
les **cheveux,** *m. pl.* hair
chez at (to) the home of; **— moi** at my house
le **chez-moi** my home
le **chien** dog
chiffonner, *fam.* to bother, perplex
le **chiffre** figure, number
chiper, *pop.* to steal, "lift," "swipe"
la **chipie** prude
choisir to choose
choquer to shock
la **chose** thing
le **chromo** worthless colored picture
le **chuchotement** whisper, whispering
chut! shh!
le **ciel** sky
le **ciment** cement
cimenter to cement
le **cimetière** cemetery
le **cinéma** movies, movie theatre
cinq five
la **cinquantaine** about fifty, the fiftieth year
cinquante fifty
les **ciseaux** scissors
citer to cite, quote
clair clear, bright, light-colored
le **clair-obscur** light and shade, chiaroscuro
claquer to slam
la **clef** key; **fermer à —** to lock

le **client** customer
le **clin: —— d'œil** wink
la **cloche** bell
le **cœur** heart; **de bon ——** gladly; **par ——** by heart; **sur le ——** on one's mind
la **cohue** press, crowd; **l'heure de la ——** rush hour
coiffé de wearing on the head
le **coiffeur** hairdresser; **garçon ——** hairdresser's assistant
la **coiffure** hairdo; **salon de ——** beauty parlor
le **coin** corner, spot, small area
coincé hemmed in, wedged
le **col: faux ——** detachable collar
la **colère** anger; **piquer des ——s terribles** to burst into terrible fits of anger
le **collégien** schoolboy
le **collègue** colleague
coller to glue, stick
la **combinaison** scheme, arrangement
la **combine** scheme
combiner to scheme, contrive
le **comble** height; **les ——s** upper stories
commander to order
comme like, as, as if
commencer (à) to begin (to)
comment how
le **commerce** business, trade
commettre to commit
le **commis** clerk
la **commisération** pity
le **commissaire** police inspector
le **commissariat** police station
la **commission: à la ——** on consignment
commode accommodating
la **commode** dresser, bureau
la **compagnie** company, firm; **dame de ——** female companion
le **compagnon** companion
la **complaisance** complacency
le **complet** suit
compliqué complicated
compliquer to complicate
comporter to include
comprendre to understand
compris? understand?
le **compte** account; **en fin de ——** after all; **rendre —— de** to report on; **se rendre —— de** to realize; **un —— à regler** a score to settle
compter to count; **—— +** *inf.* to intend, expect to; **—— sur** to count on; **sans —— que** without considering that
le **comptoir** counter
la **concession** concession, cemetery lot
concilier to reconcile
conclure to conclude
le **condamné** person condemned to death
la **condition: à —— que** provided that
conduire to conduct, escort, drive
confectionner to make, fashion
la **confiance** confidence
la **confidence** secret
confier to entrust
confondre to confuse
la **confrérie** brotherhood
confus embarrassed, in-

distinct
confusément vaguely
le **congé** leave of absence
la **congestion: faire une ——** to have a stroke
congestionné flushed
conjurer to entreat
la **connaissance** knowledge, acquaintance; **lier ——** to become acquainted
connaître to know, be acquainted with
consacrer to devote
la **conscience** conscience, consciousness; **avoir —— de** to be aware of
consciencieusement conscientiously
le **conseil** piece of advice; **les ——s** advice
consentant willing
la **considération** esteem
consolider to reinforce, strengthen
la **constatation** statement, establishment of fact
constater to declare, state, discover, note
construire to build, construct
le **conte** short story
la **contenance** countenance
contenir to contain
content happy
se **contenter** to be satisfied
le **contenu** contents
continuer (à) to continue (to)
contourner to circle, go around
contraire: au —— on the contrary
contrarié annoyed, thwarted
contre against; **par ——** on the other hand
le **contre-coup** repercussion
contredire to contradict
le **contremaître** foreman
contrôler to look up, consult
convenable proper, fitting, decent
convenir to be fitting, be suitable
la **conviction: sans —— aucune** without the slightest conviction
le **copain** pal, buddy
la **coquille** shell
la **corde** rope
coriace thick-skinned
le **corps** body; **—— de garde** guardroom
corriger to correct
la **corvée** drudgery, unpleasant duty
le **costume** apparel, suit
la **côte** shore; **à la ——**, *fig.* flat broke, "on the rocks"
le **côté** side; **à ——** nearby; **à —— de** beside; **de l'autre ——** on the other side; **de mon ——** near me; **du —— de** towards, in the direction of
le **cou** neck
la **couche** layer, coat; **—— de peinture** coat of paint
couché in bed, lying down
coucher to sleep, lie down for the night; **se ——** to go to bed, lie down
le **coucher de soleil** sunset
le **coude** elbow
coudre to sew; **machine à ——** sewing machine

couler to flow, trickle
la **couleur** color; **de — tendre** in soft color
le **couloir** corridor
le **coup** blow, stroke, move (*in a game*); **— de blanc** glass of white wine; **— de feu** shot; **— de main** helping hand; **— de téléphone** phone call; **— de timbre** ring; **— d'œil** glance; **— sur —** in rapid succession; **à chaque —** each time; **après —** afterwards; **boire un —** to have a drink; **faire un sale —** to play a dirty trick; **tout à —** all of a sudden
le **coupable** the guilty one
couper to cut, cut off, interrupt
la **cour** courtyard; **faire la — à** to court
courant current, in common use
le **courant** current; **être au —** to be informed; **mettre au —** to inform; **tenir au —** to keep informed
courbe curved
la **courbe** curve; **décrire une —** to swerve
courir to run
le **courrier** mail (*incoming*)
le **courroux** anger, wrath
le **cours** course; **en —** in progress; **au — de** during, in the course of
la **course** errand, race, running
court short
le **courtier** dealer, broker
le **couteau** knife; **— à cran d'arrêt** switchblade knife
coûter to cost; **coûte que coûte** at any cost
la **coutume** custom
la **couture** fashion, fashion design (*women's*)
le **couturier** fashion designer
le **couvercle** lid
couvert (de) covered with
la **couverture** blanket; **faire la —** to turn down the bed
couvrir to cover
crac! crack!, bang!
cracher to spit
craindre to fear
la **crainte** fear
se **cramponner** to cling
le **cran: couteau à — d'arrêt** switchblade knife
le **crâne** skull, cranium
la **crapule** hoodlum, scoundrel
craquer to creak, crack
la **cravate** necktie
crépiter to crackle
crevant, *fam.* very funny
crevé burst open, broken open, rendered useless
crever: — de faim, *fam.* to be famished
crier to shout, cry out; **— sur les toits** to shout from the rooftops
la **crise** (*financial*) crisis; **— de larmes** crying fit, burst of tears
crispé tense, contracted
le **crochet: vivre à ses —s** to sponge off him
croire to believe, think; **je veux —** I presume
la **croûte** crust; **casser la —** to have a bite to eat; **gagner**

sa — to earn one's bread
le **cube: jeu de —s** set of toy blocks
la **cuisine** kitchen, cooking; **faire la —** to cook
le **cuisinier** cook
la **cuisse** thigh
le **cuivre** copper; **les —s** brass instruments
curieu–x, –se curious
le **curieux** inquisitive person
cuver: — son vin to sleep off one's wine, sober up
la **cuvette** washbowl

le **dactylographe** stenographer
la **dame** lady; **— de compagnie** female companion
le **dancing** dance hall
dans in
dater de to date back to; **datée de Port-Saïd** postmarked Port-Saïd
la **daurade** goldfish
davantage more
déambuler walk about
débarquer to get off, disembark
le **débarras: bon —** good riddance
se **débarrasser de** to get rid of
se **débattre** to struggle
déboucher to uncork
debout standing; **se tenir —** to stand
le **début** beginning
le **débutant** beginner
décédé deceased
le **déchargement** unloading; **en —** being unloaded
décharger to discharge, unload
se **décider (à)** to make up one's mind (to)
déclarer to declare, say
le **déclic** click
décortiquer to decorticate, remove from a shell
découcher to stay out all night, sleep away from home
découvrir to discover
décrire to describe; **— une courbe** to swerve
décrocher to unhook, answer (*telephone*)
dedans inside, within
dédire: s'en — to retract
défaire to undo, unwrap, untie; **se — de** to get rid of
défait unmade
se **défendre** to defend oneself
défense de ... it is prohibited to . . .
défi challenge
défier to defy, challenge
définitive: en — in the final analysis
déformé misshapen
se **dégager** to break loose
se **dégonfler** to become deflated, collapse
dégouliner to drip
dégoûter to disgust, sicken; **se — de** to become disgusted with
le **degré** degree
dégringoler, *v.i.* to hurtle down
dehors outdoors, outside; **en — de** outside of
le **déjeuner** lunch; **le petit —** breakfast; **monter à —** to

bring up some lunch
délabré dilapidated
délacer to unlace
délavé faded
délirer to be delirious, rave
demain tomorrow
demander to ask, beg, demand; **se ——** to wonder
la **démarche** gait, procedure, step
demi, *adj.* half; **sept heures et ——e** seven-thirty (*o'clock*)
le **demi** glass of beer
la **demi-heure** half-hour
le **demi-mille** half-mile
la **démission** resignation (*from job*)
demi-tour: faire —— to turn back, make an about-face
la **demoiselle** young lady
le **démon** demon, evil genius
démonter to take apart, dismantle
dénicher to discover
la **dent** tooth; **se laver les ——s** to brush one's teeth
le **départ** departure
dépasser to project beyond
dépendre (de) to depend (on)
dépenser to spend
dépit: en —— de despite
dépité disappointed, annoyed
le **déplacement** change of position
déplacer to move, displace
déplaire to displease
déplaisant disagreeable, distasteful
déposer to put down, testify, give evidence
le **dépôt** warehouse
depuis since, for (*time*)
déranger to bother, disturb
dériver to drift
derni–er, –ère last, recent; **ces ——s temps** recently
dérouté baffled
derrière behind
dès from, beginning with; **—— que** as soon as
désagréable unpleasant
descendre to descend, come (*or* go) down, get off (*a vehicle*), kill, stop, stay (*as a transient in a hotel, etc.*); **—— à terre** to land; **laisser ——** to lower
se **désennuyer** to overcome boredom, amuse oneself
désert deserted
désespéré in despair, inconsolable
désespérer to despair
se **déshabiller** to get undressed
désigner to point to, indicate
se **désintéresser de** to lose interest in
désolé extremely sorry
le **désordre** disorder, mess
désormais henceforth
se **dessécher** to wither, dry up
desserrer to loosen
le **dessin** design, pattern
dessiné well-defined
se **dessiner** to be distinguishable
dessous, *adv.* under; **en ——** *adv.* underneath; **sens dessus ——** upside down
dessus, *adv.* over, on top of, above; **au- —— de,** *prep.* above; **sens —— dessous** upside down
se **détacher** to loosen, free, break

loose; **se — de son socle** to step down from one's pedestal
se **détendre** to relax, become slack
la **détente** release
détester to detest
la **détonation** explosion, report
détrempé soaked
le **deuil** mourning
deux two; **tous les —** both; **—ième** second
dévaler come down (*street, stairs, etc.*)
devancer to anticipate, get ahead of
devant in front of, ahead of
devenir to become
se **dévêtir** to get undressed
deviner to guess
devoir to have to, be supposed to
le **devoir** duty
le **diable** devil
le **diamant** diamond
Dieu God; **mon —!** heavens!; **— sait comment** heaven knows how
difficile difficult
digérer to digest
digital: empreintes —es fingerprints
digne worthy, dignified
le **dimanche** Sunday
le **dîner** dinner
dire to say; **— du mal de** to speak ill of; **dis (dites) donc!** say now!, say there!; **à vrai —** to tell the truth; **au — de** according to; **c'est-à- —** that is to say; **pour ainsi —** so to speak; **vouloir —** to mean
le **directeur** director, manager
la **direction: en — de** toward
se **diriger (vers)** to go (toward)
discr–et, –ète discreet
discuter to discuss; **— de** to argue about
disparaître to disappear
la **disparition** disappearance
disposer de to have at one's disposal
distinctement distinctly, clearly
la **distinction** distinction, polished manners
distinguer to distinguish, make out
distrait absent-minded, inattentive
divorcer to divorce, get a divorce
dix ten; **—-sept** seventeen
la **dizaine** about ten
docilement submissively
le **doigt** finger; **montrer du —** to point out
le **domicile** residence, home
donc thus, then, therefore; **dis —!** say now!, say there!
donner to give; **— chaud** to heat, warm up; **— envie de** to make one feel like; **— sur** to look out over; **étant donné que** since, because; **à un moment donné** at a given time; **se — la peine de** to take the trouble to
dont of whom, of which, whose
dorénavant henceforth

dormir to sleep; **— comme un plomb** to sleep like a log
le **dos** back
le **dossier** file
la **dot** dowry
doucement softly, gently
la **douceur** sweetness, smoothness; **tout de —** full of sweetness
la **douche** shower bath
douloureu–x, –se painful, sorrowful
le **doute** doubt; **sans —** doubtless
douter to doubt; **se — de** to suspect; **je m'en doutais** I thought as much
douteu–x, –se doubtful
le **drame** drama; **en faire un —** to make a big thing of it, exaggerate
le **drap** sheet (*bed*)
dresser to raise; **se —** to stand, rise up; **se — de toute sa taille** to stand fully erect
le **dressoir** sideboard
la **drogue** drug
droit straight, right, right-hand; **à —e** to the right; **le piano —** upright piano; **tout —** straight ahead
le **droit** right, privilege
drôle funny, odd; **un — de rire** an odd laugh
dur hard, harsh
le **dur** "tough guy"
durer to last, endure

l'**eau,** *f.* water; **passer l'—** to cross the water
ébloui dazzled
ébranler to jar, shatter
l'**écaille,** *f.* shell
écarquillé wide, staring
écarter to push aside
échafauder to erect, *fig.* to plan *or* work out
échanger to exchange
(s')échapper to escape
l'**échéance,** *f.* bill coming due, insurance premium
l'**échelle,** *f.* ladder
échouer to fail, go aground
éclairer to illuminate; **s'—** to become clear
l'**éclat,** *m.* burst, outburst; **— de rire** burst of laughter
éclatant spectacular
éclater to burst
l'**écluse,** *f.* lock (*of canal*)
écœurer to sicken
l'**école,** *f.* school
l'**écolier,** *m.* schoolboy
l'**économie: par —** for economy's sake, to save money
s'écouler to elapse, go by
écouter to listen (to)
l'**écran,** *m.* screen
écraser to crush, overpower; **s'—** to come down heavily, collapse
l'**écriteau,** *m.* sign, poster
l'**écriture,** *f.* handwriting
l'**écrivain,** *m.* writer
l'**écume,** *f.* meerschaum
écumer to skim, *fig.* to sponge
effectivement actually, in fact
l'**effet,** *m.* effect; **en —** in fact
s'efforcer to strive, make an effort

l'effraction housebreaking
effrayant frightening
effrayer to frighten
également equally, likewise
l'église, *f.* church
égoïste selfish
l'égratignure, *f.* scratch
l'élan, *m.* impetus, momentum, forward motion
s'élancer to rush out, take off
élégamment elegantly
l'élève, *m. or f.* pupil, student
élever to bring up, raise
éloigné remote, far-off
s'éloigner to walk away, withdraw
l'émail, *m.* enamel; **fontaine d'—** porcelain sink
emballé infatuated
emballer, *fam.* to put in jail
l'embarcation, *f.* small boat, craft
l'embardée, *f.* lurch
embarquer to take on board; **s'—** to go aboard, *fig.* start out
l'embrasement, *m.* blaze, intense light
embrassé embraced, locked in one's arms
embrasser to kiss, embrace
embué covered with mist, fogged
émettre to emit, let out
l'émission, *f.* broadcast; **— de gala** special broadcast
emmêlé intertwined
emmener to take away, take along
empâté heavy, flabby
empâter to grow fat
empêcher to prevent; **n'empêche que** all the same, nevertheless; **s'—** to stop, prevent oneself from
emphatique bombastic
l'emplacement, *m. space along a dock for a boat*
l'emploi du temps, *m.* schedule
l'employé employee
employer to use; **— des raccourcis** to take short cuts, abridge
emporter to take away, carry off
l'empreinte, *f.* fingerprint (*also* **empreinte digitale**)
s'empresser (de) to make haste (to)
en in, while, as, some, of it, of them
encadré framed
l'encadrement, *m.* frame; **— de la porte** doorway
s'encadrer to be framed
encastré imbedded
encombrant obstructive
encore again, still; **— moins** even less; **— un(e)** another; **— un instant** one more instant; **ou —** or else
s'endormir to go to sleep
l'endroit, *m.* place
l'énergie, *f.* energy, strength
énergique energetic
l'énergumène, *m. or f.* fanatic
s'énerver to become irritable
l'enfant, *m. or f.* child
enfermer to shut in, lock up
enfiler to thread, slip on
enfin at last, finally, in short
enfoncer to thrust
s'enfourner to crowd

engager to engage, hire; **s'engager** to become involved; **s'— dans les couloirs** to enter the corridors
engueuler, *pop.* to bawl out
enjoindre to enjoin, command
l'**enjouement,** *m.* good humor
enlever to take away, steal
ennuyer to bore, bother; **s'—** to be bored
énorme enormous
l'**enquête,** *f.* investigation
l'**enquêteur,** *m.* investigator
enregistrer to record, note
enrhumé: être — to have a cold
enseigner to teach
ensemble together
ensoleillé sunny
ensommeillé sleepy
ensuite then, next
l'**entaille,** *f.* notch, gash; **faire une —** to notch, gash
entamer to open, begin
entasser to pile up
entendre to hear, understand; **— parler de** to hear about; **ne rien vouloir —** to refuse; **s'— bien avec** to get along well with
entendu understood, agreed; **bien —** of course; **d'un air —** in a shrewd (*or* knowing) way
l'**enterrement,** *m.* burial, funeral
enterrer to bury, inter
l'**en-tête,** *m.* letterhead
s'**entortiller (à)** to get tangled (in)
entourer to surround, bind
l'**entrain** spirit, pep
entraîner to drag
entre between, among; **— eux** in private, among themselves; **— nous** between you and me
entrecouper to interrupt
l'**entrée,** *f.* entrance
entrelacé intertwined
l'**entrepôt,** *m.* warehouse
entrer (dans) to enter
entretenir to maintain, support; **se faire —** to live at someone else's expense
l'**entretien,** *m.* conversation
entrouvert (entr'ouvert) partly open, ajar
entr'ouvrir to open part way
envahir to invade, assail, *fig.* flood over *or* pervade
l'**envergure,** *f.* breadth (*lit.,* wingspread)
l'**envie,** *f.* desire; **avoir — de** to feel like; **donner — de** to make one feel like
environ approximately, about
les **environs,** *m. pl.* the vicinity
envoyer to send
épais, -se thick, heavy-set
épars scattered
l'**épaule,** *f.* shoulder
épeler to spell
épier to spy on, watch closely
l'**épingle,** *f.* pin; **tiré à quatre —s** elegantly groomed
éploré in tears
l'**éponge,** *f.* sponge; **faire l'—** to absorb, sop up
éponger to wipe; **s'—** to mop one's brow
l'**époque,** *f.* time, period
l'**épouse,** *f.* wife

épouser to marry
épouvanté terrified
éprouver to feel, experience
l **équilibre,** *m.* equilibrium, balance; **en —** poised
escalader to climb
l'**escale,** *f.* port of call
l'**escalier,** *m.* stairway, stairs
escher to bait (*a hook*)
l'**esclandre,** *m.* commotion, "scene"
l'**escroc,** *m.* crook, swindler; **un vague —** some crook or other
l'**escroquerie,** *f.* swindle
l'**espèce,** *f.* sort, kind
espérer to hope
l'**espoir,** *m.* hope
l'**esprit,** *m.* mind
esquisser to suggest, sketch, hint at; **— un sourire** to smile faintly
essayer (de) to try (to)
essuyer to wipe
l'**est,** *m.* east
l'**estomac,** *m.* stomach
l'**étage,** *m.* floor, story
l'**étagère,** *f.* shelf
s'**étaler** to spread out
étancher to stanch
l'**état,** *m.* state
l'**été,** *m.* summer
s'**éteindre** to go out
éteint gone out, cold
s'**étendre** to stretch out
étique emaciated, skinny
étirer to stretch, lengthen
l'**étonnement,** *m.* astonishment
étonner to astonish
étouffer to suffocate
étrange strange
l'**étranger,** *m.* foreigner
étrangler to strangle; **s'—** to choke
l'**étrangleur,** *m.* strangler
l'**étrave,** *f.* stem
être to be; **— d'accord avec** to agree with; **c'est que** the reason is that
l'**être,** *m.* being
étriqué frail
étroit narrow
s'**évanouir** to faint
l'**évasion,** *f.* escape
éveiller, *v.t.* to awaken, arouse; **s'—** to wake up
l'**événement,** *m.* event
s'**évertuer** to strive
évidemment obviously
évidence: bien en — in full view, conspicuous
évident clear, obvious
éviter to avoid
évoluer to develop, congregate
évoquer to call to mind
exactement exactly
exagérer to exaggerate
exaltant exciting
l'**examen,** *m.* examination
excédé annoyed, exasperated
s'**exclamer** to exclaim
excuser to excuse
exécuter to execute
exemple: par — for example
l'**expérience,** *f.* experiment
l'**expertise,** *f.* expert examination
expliquer to explain
exprès on purpose
exprimer to express
extérieur exterior, outer
extérieurement on the outside

l'extrémité end, extremity

fabriquer to make, manufacture
face: en — opposite; **bien en —** straight in the face
se fâcher to become angry
facile easy
la facilité facility, ease
la façon way, fashion; **à la — de** in the manner of, like; **de toutes (les) —s** in every way
le facteur mailman
faction: en — on duty
le faible weak person (*male*)
la faïence earthenware
faillir (+ *inf.*) nearly *or* almost (+ *inf.*); **— manquer** almost to miss
la faillite bankruptcy
la faim hunger; **crever de —** to be starving
faire to do, make; **— attention à** to pay attention to; **— demi-tour** to turn back; **— des excuses** to apologize; **— deux pas** to take several steps; **— la cour à** to court; **— la cuisine** to cook; **— le ménage** to do the housework; **— l'éponge** to absorb, sop up; **— mal à** to hurt; **— un sale coup** to play a dirty trick; **— une congestion cérébrale** to have a stroke; **— remarquer** to point out, call attention to; **se — des idées** to get ideas, imagine; **se — prendre** to get caught; **se — faire quelque chose** to have something done for oneself
le faisceau bunch, bundle; **— de lumière** beam of light
le fait fact; **au —** in fact, by the way
falloir, *impers.* to be necessary
fameu-x, -se famous, top-notch
la famille family; **nom de —** last name; **de la —** relatives
la farce joke, trick
farouche savage
fatalement inevitably
fatigué tired
se faufiler to slip
faute de for want of
le fauteuil armchair, (*theater*) seat; **— articulé** adjustable chair
le fauve wild beast
fau-x, -sse false
fébrile feverish
la fée fairy
feindre to feign
féliciter to congratulate
la femme woman, wife
fendre to split, cleave
la fenêtre window
la fente crack, fissure
le fer iron
ferme firm, solid
la ferme farm
fermer to close; **— à clef** to lock
féroce ferocious
la fesse buttock
fêter to celebrate

feu late, deceased
le **feu** fire
le **feuillage** foliage
la **feuille** leaf
feuilleter to leaf through
le **feutre** felt
la **fiche** slip of paper, memo, jack (*electrical*)
se **ficher de** not to give a hang about
fichu, *pop.* done for, "all washed up"
fier, fière proud, defiant
la **fierté** pride
la **fièvre** fever
figé congealed
fignoler to refine, polish, improve
la **figure** face
se **figurer** to imagine
le **fil** wire, thread; **de —— en aiguille** step by step
la **file** row, file; **à la —— indienne** in single file
le **filet** net; **—— de pêche** fishnet
le **filin** rope, line
la **fille** daughter, girl; **jeune ——** girl
le **fils** son
filtrer to filter, emanate
la **fin** end; **à la ——** at last, finally
financi–er, –ère financial
finir to finish; **—— par** to end up by; **—— ses jours** to spend the rest of one's days; **en ——** to get it over with
le **fiston,** *pop.* sonny boy
fixe fixed, staring
fixer to focus on, stare at, establish, set, attach
flâner to idle, loiter
flanquer to flank, *fam.* to send *or* throw; **—— à la porte** to fire
la **flaque** puddle
le **flic,** *pop.* cop
la **flotte,** *fam.* water
la **foi** faith; **ma ——** upon my word
la **fois** time; **à la ——** simultaneously, all at once, both; **maintes ——** many a time; **une —— pour toutes** once and for all
la **folle** madwoman
foncé deep, dark (*in color*)
foncer to penetrate
le **fond** depth, interior, bottom, background; **au ——** basically, essentially; **de —— en comble** thoroughly
la **fontaine: —— d'émail** porcelain sink
la **force** strength; **à —— de** by dint of
la **forêt** forest; **en pleine —— équatoriale** in the middle of the equatorial jungle
la **forme** shape, form
former to form, shape, constitute
formidable frightening
fort strong, brilliant; **à plus ——e raison** with all the more reason
le **fort** fortress
fortiche audacious
fou, folle mad, insane
fouiller to search, rummage
la **foule** crowd
le **four** oven; **—— à chaux** limekiln

la **fourmi** ant
le **fourneau** furnace, bowl (*of pipe*)
fournir to provide, furnish, supply
fourrer to shove, poke, stuff
la **fraîcheur** coolness
frais, fraîche fresh, cool
le **frais: prendre le** —— to enjoy the cool of the evening
les **frais,** *m. pl.* expenses; **aux** —— **de** at the expense of
la **fraise** strawberry
le **Français** Frenchman
frapper to strike, knock, tap; **se** —— to be frightened
la **frayeur** dread, fear
fréquenter to associate with, frequent
le **frère** brother
fricoter, *pej.* to do, be up to (*implies illicit action*)
le **frigorifique** refrigerator
la **frime** pretense, sham
fripé threadbare
froid cold
le **frôlement** rustling
froncer: —— **les sourcils** to frown
le **front** forehead
la **frontière** frontier, border
(se) **frotter** to rub; **se** —— **aux gens** to rub elbows with people
fuir to flee
la **fumée** smoke
fumer to smoke
fureter to poke around, ferret, pry
furieu–x, –se furious, angry
le **furoncle** carbuncle, boil
fuser to spread

la **gaffe** boathook, gaff, *fig.* blunder
gaffer to blunder
le **gagne-petit** small-time operator
gagner to gain, win, earn, reach
la **gagneuse** winner (*female*), woman in the employ of a pimp
le **gala** gala; —— **de centième** hundredth-performance celebration
galeux mangy
le **gamin** kid, lad, boy
la **gamine** girl, young woman
le **gant** glove
le **garçon** boy; —— **coiffeur** hairdresser's assistant; —— **de bureau** office boy
la **garçonnière** bachelor's apartment
la **garde** guard; **être de** —— to be on duty; **prendre** —— **à** to notice, pay attention to, be aware of; **prendre** —— **de** to be careful about
le **gardénal** gardenal (*type of barbiturate*)
garder to keep, guard; —— **le lit** to remain in bed; —— **la maison** to stay in the house
la **garde-robe** wardrobe
le **gardien** watchman
la **gare** station
se **gargariser** to gargle
garni (de) furnished (with)
le **gars,** *pop.* guy, fellow
gauche left
gémir to moan, groan
le **gendarme** gendarme (*mem-*

ber of French national police)
généreu–x, –se generous
le **genou** (*pl.* **genoux**) knee
le **genre** type, kind
les **gens,** *m. pl.* people; **des — très bien** very respectable people
gentil, –le nice, kind
gentiment quietly
le **gérant** manager, director
le **geste** gesture
gicler to splash, spurt out; **giclant d'eau** dripping wet
gigantesque gigantic
la **glace** glass, window, mirror, ice, ice cream
glacé iced, icy
glisser to slip, slide
la **gloriole** vanity
se **gonfler** to swell
la **gorge** throat; **se râcler la —** to clear one's throat noisily
la **gorgée** gulp
le **gosse,** *pop.* kid, urchin
gouailleu–x, –se flouting, jeering
le **goulot** neck (*of bottle*)
gourmand greedy, voracious
le **gousset** vest pocket
le **goût** taste, liking; **reprendre — à** to take a new liking for
la **goutte** drop
la **gouttière** rainspout, downspout
la **grâce** grace; **de —** for goodness' sake
grand tall
grand'chose much
grandir to grow, grow up
gras, –se stout, fat
grave serious
gravir to climb, toil up
graviter to gravitate
le **gré: au — de** to the liking of; **de son plein —** of her own free will
le **grillage** metal lattice
grinçant squeaking
gris gray
la **grisaille** grayness, drabness
grisâtre grayish
le **grog** grog, toddy
grogner to growl, grumble
grognon peevish
grommeler to grumble
gronder to growl, snarl
gros, –se large, big, important; **en —** wholesale
grossi–er, –ère coarse, vulgar, uncouth
la **grossièreté** rudeness, vulgarity, coarse word, obscenity
grossir to become large (*or* stout)
grouiller to swarm, crawl
se **grouper** to form a group, congregate
la **grue** crane
guère: ne ... — scarcely, hardly
le **guéridon** small table
guérir to cure
guetter to watch, spy on
la **gueule** mouth, muzzle (*of animal*), *fam.* mug, kisser
gueuler, *fam.* to yell, holler
le **guichet** ticket window

s'habiller to get dressed
l'habit, *m.* evening clothes
l'habitant, *m.* inhabitant

habiter to live, dwell
l'**habitude,** *f.* habit; **d'——** usually; **comme d'——** as usual
habitué accustomed
l'**habitué,** *m.* regular member (*or* customer)
habituel, –le usual
s'habituer à to get used to
la **hachure** cross-hatching
la **haine** hatred
l'**haleine,** *f.* breath
haleter to pant, gasp
l'**hameçon,** *m.* fishhook
la **hanche** hip
le **hareng** herring; **—— saur** red herring
la **hargne** bad temper
le **hasard** chance, happenstance; **à tout ——** on the off chance; **un pur ——** just a stroke of luck
la **hâte** haste; **avoir —— de** to be in a hurry to
hausser to shrug
haut high; **en ——** upstairs; **rêver tout ——** to dream out loud; **la- ——** up there
le **haut** upper part, top
la **hauteur** height, level
le **haut-le-corps** sudden start, jump
héberger to lodge, shelter
hein? eh?
l'**herbe,** *f.* grass
hésiter (**à**) to hesitate (to)
l'**heure,** *f.* hour, o'clock, time of day; **——s de travail** working hours; **à certaine ——** at a fixed time; **à la bonne ——!** good!, fine!; **à l'—— qu'il est** right now, at present; **c'est l'——** it's time; **d'une —— à l'——** from one hour to the next; **tout à l'——** a few moments ago, in a few moments (*or* a little while), presently
heureu–x, –se happy
le **heurt** shock, impact
heurter to bump, bump into
hier yesterday
hirsute hairy; **les cheveux ——s** rumpled hair
l'**histoire,** *f.* story, affair
l'**hiver,** *m.* winter
hocher to shake, wag, nod
l'**homme,** *m.* man
honnête honest, decent, respectable
la **honte** shame; **avoir ——** to be ashamed
honteu–x, –se ashamed
l'**horloge,** *f.* clock
l'**horreur,** *f.* horror; **j'ai —— de** I just hate to
hospitalier hospitable
l'**huile,** *f.* oil; **par une mer d'——** over a smooth sea
l'**huis,** *m., archaic* door
huit eight; **—— jours** a week
l'**huître,** *f.* oyster
l'**humeur,** *f.* disposition, humor; **—— de chien** nasty humor; **de méchante ——** ill-tempered, in a nasty mood
humide damp
(**s'**) **humilier** to humiliate (oneself)
hurler to howl, yell
la **hutte** hut, shack

ici here; **de par ——** from these parts
idéalement ideally
l'**idée,** *f.* idea, notion
identique identical
l'**Identité judiciaire,** *f.* police identification bureau
ignorer to be ignorant of, not know
l'**île,** *f.* island
il ya a there is, there are; —— + *time* (time) ago
l'**image,** *f.* image, picture
(s') **imaginer** to imagine, fancy, get it into one's head
imbuvable insufferable (*lit.*, undrinkable)
imiter to imitate
l'**immeuble,** *m.* building; —— **de rapport** tenement building; apartment building
immobile motionless
immuable immovable
s'**impatienter** to grow impatient
importe: n'—— comment any way whatever; **n'—— où** anywhere; **n'—— quel** any, no matter which; **n'—— qui** anybody; **n'—— quoi** anything at all; **peu —— que** little does it matter that
imprégné impregnated
s'**imprégner (de)** to become impregnated (with), sop up
impressionnant impressive
impressionner to impress
l'**imprimé,** *m.* printed matter
s'**imprimer** to be printed; **ça s'imprime** it's printed
l'**improviste,** *m.*: **à l'——** unexpectedly
inattendu unexpected
inconcevable inconceivable, incredible
incongru incongruous, unseemly
inconnu unknown; **l'——,** *m.* stranger
incroyable unbelievable
indescriptible indescribable
indigné indignant
indiquer to indicate, point out
l'**individu,** *m.* individual, person
inexorablement pitilessly
s'**infecter** to become infected
informe shapeless
ingurgiter to swallow, ingest
l'**injonction,** *f.* injunction, order, behest
l'**injure,** *f.* insult
injurier to insult
inonder to flood, inundate
inqui–et, –ète anxious, upset
inquiétant disturbing
s'**inquiéter (de)** to worry, be anxious (about)
l'**inquiétude,** *f.* anxiety
s'**inscrire** to be inscribed
insinuer to insinuate, hint
insister to insist, persist
l'**inspecteur,** *m.* inspector
inspirer to inspire, incite
s'**installer** to establish oneself, move in
l'**instant,** *m.* moment; **par ——s** at times; **un ——!** just a minute!
instantané instantaneous

l'instituteur, *m.* schoolmaster
instruit educated
l'insu, *m.***: à son ——** without his being aware, unbeknownst to him
insuffisant insufficient
insupportable unbearable
intempestif untimely, inopportune
l'intendance, *f.* commissariat
interdit nonplussed
intéresser to interest
l'intérêt, *m.* interest
l'intérieur, *m.* inside, interior
l'interlocuteur, *m.* interlocutor, person engaged in conversation
interpeller to call out to
l'interrogatoire, *m.* questioning, examination
interroger to interrogate
interrompre to interrupt
l'intervalle, *m.* interval
intervenir to interpose, intervene
l'intimité, *f.* privacy
l'intonation, *f.* tone of voice
introduire to introduce, insert; **s'——** to enter, slip in
inutile useless; **—— de** (+ *inf.*) no point in . . . , useless to . . .
l'inventaire, *m.* inventory
inviter to invite
invraisemblable unlikely, improbable
irisé iridescent
l'irruption, *f.* sudden entrance; **faire ——** to burst in
ivre drunk
l'ivrogne, *m.* drunkard

jadis formerly
jaillir to burst forth
jamais ever, never
la **jambe** leg
le **jambon** ham; **—— blanc** fresh ham
la **jardinière** flowerpot
jaunâtre yellowish
jaune yellow
la **jetée** jetty, pier
jeter to throw, cast
le **jeton** token, slug
le **jeu** game; **—— de cubes** set of toy blocks
jeune young
la **joie** joy
joli pretty
la **joue** cheek
jouer to play; **—— à la Bourse** to play the stock market; **—— aux boules** to bowl; **—— un mauvais tour** to play a dirty trick
le **joueur** player
jouir de to enjoy
le **jour** day; **au —— le ——** from day to day; **couler des ——s paisibles** to live a peaceful life; **de tous les ——s** common, everyday; **finir ses ——s** to spend the remainder of one's days; **huit ——s** a week; **quinze ——s** a fortnight, two weeks' time
le **journal** newspaper
le **journaliste** newspaperman
la **journée** day; **à longueur de ——** all the livelong day
joyeu–x, –se joyous, happy

le **juge** judge; —— **d'instruction** examining magistrate
juger to judge, deem
juillet July
les **jumelles** binoculars
jurer to swear
jusqu'à up to, until, as far as, even; —— **ce que,** *conj.* until
juste just, exact, correct; **au** —— exactly
justement in fact, precisely

là there
là-bas over there, yonder
le **lacet** lace (*of shoe, etc.*)
lâche cowardly
lâcher to abandon
là-haut up there
laid ugly
laisser to leave, let; —— **descendre** to lower; —— **tomber** to drop
le **lait** milk
la **lame** blade
lancer to throw, call out, shout
le **lapin** rabbit
laqué made shiny (*lit.*, lacquered)
large wide, broad, broad-brimmed; —— **ouvert** wide open
largement liberally
la **larme** tear; **une crise de** ——**s** crying fit, burst of tears
las, –se weary
le **laurier** laurel, laurel tree
laver to wash; **se** —— to get washed, wash up; **se** —— **les dents** to brush one's teeth
lég–er, –ère light, slight
le **légionnaire** *soldier of French Foreign Legion*
le **légume** vegetable
le **lendemain** following day
lénifiant soothing
lent slow
lequel, laquelle which, that, which one?
le **lest** ballast
la **lettre** letter
le **Levant** the East
lever to raise, lift; **se** —— to rise, get up
la **lèvre** lip
lier to bind; —— **connaissance** to become acquainted
le **lieu** place; **au** —— **de** instead of; **avoir** —— to take place; **sur les** ——**x** on the spot
la **ligne** line; —— **de pêche** fishing line
la **limite** limit, boundary
le **linge** linen
la **liqueur** liqueur (*usually taken after a meal*)
lire to read
lisse smooth, slick
le **lit** bed; —— **de camp** cot; —— **défait** unmade bed
la **literie** bedding
la **livre** pound
le **livreur** delivery boy
le **locataire** tenant, lodger; **prendre des** ——**s** to take in lodgers
les **locaux** premises
logiquement logically
la **loi** law

loin far; **au ——** in the distance; **de ——** from a distance
lointain distant, far-off
le **loisir** leisure
long, longue long; **le —— de** along
longer to go along, follow the course of
longtemps for a long time
longuement at some length
la **longueur** length; **à —— de journée** all the livelong day
loquace talkative, loquacious
lors that time, then; **—— de** at the time of, during
lorsque when
lotionner to apply lotion
louer to rent
loufoque, *pop.* crazy, "nuts"
la **loupe** magnifying glass
lourd heavy, drowsy, sultry
lourdement ponderously
lové coiled
la **lueur** gleam, glimmer
lugubre lugubrious, mournful
lui-même himself
luisant shiny
la **lumière** light
lundi Monday
la **lune** moon
les **lunettes,** *f. pl.* glasses, spectacles; **—— noires** sunglasses; **—— sombres** sunglasses
lutter to struggle
le **luxe** luxury

le **machin,** *pop.* thing, object, thingamajig
machinal mechanical, involuntary
machinalement absently, without thinking
le **maçon** mason
la **madame,** *fam. and pej.* lady
le **magasin** store
le **magot,** *fam.* treasure, "sock"
maigre thin, skinny
le **mail** mall, avenue, promenade
la **main** hand; **de —— en ——** from hand to hand; **mettre la —— sur** to get hold of, lay hands on
maint: ——es fois many a time
maintenant now
maintenir to keep up, maintain, sustain; **se ——** to remain
le **maire** mayor
mais but, why; **—— non** why no, of course not; **—— si** yes indeed, on the contrary
la **maison** house, establishment, firm; **—— de rapport** tenement house, apartment building
la **maisonnette** little house
le **maître** master
la **maîtresse** mistress
mal badly, poorly; **se sentir ——** to feel ill (*or* faint); **se trouver ——** to faint
le **mal** evil, harm; **avoir du —— à** to have difficulty in; **dire du —— de** to speak ill of
malade sick

le **malaise** uneasiness
la **malchance** bad luck
le **malchanceux** "hard-luck Charlie"
le **malfaiteur** malefactor, criminal
malgracieu–x, –se ungracious, disagreeable
malgré in spite of
le **malheur** misfortune; **pancarte de —** ill-fated sign
malheureu–x, –se unhappy, ill-fated
malin malicious, sly, cunning
malingre sickly
la **malle** trunk
malmené roughly handled, abused
le **mal-portant** milksop
malsain unhealthy
maman mama, mom
la **manche** sleeve; **en — de chemise** in shirtsleeves
le **mandat d'arrêt** arrest warrant
manger to eat; **salle à —** dining room; **de quoi —** something to eat
maniable manageable, supple, easy to handle
le(la) **maniaque** maniac, eccentric man (woman)
la **manie** idiosyncrasy, whim, habit
la **manifestation** display, sign, indication
manquer (de) to be lacking (in), be wanting (in)
la **mansarde** attic room
le **maquereau** pimp
le **marais** marsh, swamp
le **marbre** marble
le **marc** cheap brandy
le **marchand** merchant, vendor
la **marchandise** merchandise
la **marche** step (*of stairs*), motion (*of vehicle*)
le **marché** market, bargain; **bon —** cheap; **faire le —** to do the marketing; **par-dessus le —** into the bargain
marcher to walk; **faire —** to order about, dominate, henpeck
mardi Tuesday
la **marge** margin
le **mari** husband
marier to marry off, get (*someone else*) married; **se —** to get married
la **marine** navy
le **maroquinier** leather dealer
la **marque** mark, brand
marrant, *pop.* funny; **c'est —** it's a scream
la **marre,** *pop.*: **en avoir — (de)** to be fed up (with)
le **marteau** hammer
le **martèlement** beating, hammering
marteler to hammer, punctuate
la **masse** mass, heap; **former une — indistincte** to have an indistinct shape
massif husky, hefty
matelassé padded
le **matelot** sailor, seaman
les **mathématiques,** *f. pl.* mathematics
le **matin** morning, in the morning

matinal matutinal, of the morning
la **matinée** morning
la **matraque** blackjack
maussade ill-tempered
mauvais bad; **sentir ——** to smell bad
méchamment ill-naturedly, in a nasty manner
méchant bad, spiteful, nasty
le **médecin** doctor
le **médicament** medicine
méfiant distrustful
le **meilleur** the best
(se) **mélanger** to mix, confuse
mêler to mix
le **melon** melon; **chapeau ——** derby hat
le **membre** member, limb
même same, very, even; **—— pas** not even; **de ——** likewise; **lui- (elle-)——** him- (her)self; **quand ——** even so, just the same
la **mémoire** memory
menaçant menacing
la **menace** threat
menacer (de) to threaten (with)
le **ménage** household; **faire le ——** to do the housework
ménager to humor
mener to lead, carry on
les **menottes,** *f. pl.* handcuffs
le **mensonge** lie
mentir to lie
menu small; **——s détails** minute details
le **menuisier** carpenter
le **mépris** contempt
mépriser to despise
la **mer** sea; **—— d'huile** smooth sea; **en ——** at sea
merci thank you
mercredi Wednesday
la **mère** mother
mériter to deserve
le **merlan** mackerel; *fam.* hairdresser
merveilleu–x, –se marvelous, splendid
mesquin mean, shabby
le **messager** messenger
la **mesure** measure; **à —— que** in proportion as
mesurer to measure
méticuleusement meticulously
le **métier** job, trade; **vingt ans de ——** twenty years on the job
le **mètre** meter (*39.37 inches*)
le **métro** (*Paris*) subway
mettre to put, place, put on; **—— la main sur** to get hold of; **—— les pieds** to set foot; **se —— à** to begin to; **se —— en branle** to start moving; **se —— en route** to set out; **se —— en tête que** to take it into one's head that
le **meuble** piece of furniture
le **meublé** furnished apartment
midi noon
le **miel** honey
mieux better; **il vaut ——** it is preferable
mignon, –ne darling, cute
mijoter to simmer, stew
le **milieu** middle, environment, sphere of activity, *fam.* underworld; **au beau ——** right in the middle of

mille a thousand
le **mille** mile
(des) **milliers** thousands (*approximate: used only in pl. partitive construction*); **des centaines de ——** hundreds of thousands
minime trifling
minuit midnight
minuscule tiny
la **minutie** punctilio, attention to detail
miroitant glistening
la **misère** poverty
miteu–x, –se shabby
le **mobile** motive
la **mode** fashion (*in clothes*)
moindre least, slightest
moins less; **—— ... que** less . . . than; **à —— de (que)** unless; **au ——** at least; **du ——** at least; **encore ——** even less; **le ——** the least; **le —— possible** as little as possible; **tout au ——** at the very least
le **mois** month
moite moist
la **moitié** half; **à ——** halfway
mollir to grow soft
le **moment** moment, time; **à certain ——** at a given time; **à un —— donné** at a given moment; **au —— où** when; **passer de bons ——s** to have good times
le **monde** world, people; **le plus ridicule du ——** as ridiculous as can be
le **monsieur** gentleman
monstrueusement monstrously
monté mounted
monter to rise, come (go) up, climb, bring (take) up; **—— se coucher** to go up to bed; **(me) —— à déjeuner** to bring (me) up some lunch
la **montre** watch
montrer to show; **—— du doigt** to point out; **se ——** to appear
la **monture** mounting; **lunettes à —— d'acier** steel-rimmed glasses
se **moquer de** to make fun of, mock
le **morceau** piece; **manger le ——**, *fam.* to confess
mordre to bite
morne gloomy, dismal
la **mort** death; **sous peine de ——** under pain of death; **mourir de sa belle ——** to die a natural death
le **mort** dead man
le **mot** word; **——s de tous les jours** common, everyday words
le **moteur** motor
mou, molle soft, limp
le **mouchoir** handkerchief
la **moue** pout, scowl
mouillé wet; **du ——** wet spots
mouiller to wet, moisten, anchor
moulé well-formed
mourir to die; **—— de sa belle mort** to die a natural death
mousseu–x, –se foamy, frothy

la **moustiquaire** mosquito net
le **mouvement** movement, motion
moyen, –ne average
le **moyen** means, way
la **moyenne** average
muet, –te mute, silent
muni equipped
le **mur** wall
mûr ripe, mature
mystérieu–x, –se mysterious

nager to swim
le **nageur** swimmer
naître to be born
la **nature: petite —!** poor little weakling!
naturel, –le natural
le **naufrage** shipwreck
la **navigation** sailing, sea travel
naviguer to navigate, sail
le **navire** ship
ne ... que only
né born; **— d'hier** born yesterday
néerlandais Dutch
négligemment negligently
le **nègre** Negro
la **neige** snow
net, *adv.* outright
net, –te clean, neat, well-defined; **s'arrêter —** to stop short
le **nettoyage** housecleaning
neuf nine
le **neveu** nephew
le **nez** nose
ni ... ni neither . . . nor
le **nickel** nickel-plate, chrome
nier to deny
la **noce** wedding, wedding feast
noir black
le **noir** blackness, darkness
le **nom** name, noun; **— de famille** last name
nombreu–x, –se numerous
nommer to name, appoint
non not, no; **— plus** (not) either
le **Nord** North; **type du —** Northerner
nouveau, nouvelle new, other, additional; **à —** again, anew
la **nouvelle** story, novella; **les —s** news
noyé soaked (*lit.*, drowned)
le **noyé** drowned man
noyer to drown
nu bare, naked
la **nuance** shade, tinge
la **nuit** night; **cette —** last night; **chemise de —** nightshirt
nul no one
le **numéro** number, edition (*of periodical*)

obéir (à) to obey
l'objet, *m.* object, thing
obligé: être — de to have to, be obliged to
l'obligeance courtesy, kindness
obscur dark; **faire —** to be dark
l'obscurité, *f.* darkness
les obsèques, *f.* funeral
observer to observe
l'obstination, *f.* obstinacy
s'obstiner à to be obstinate

about, persist in, insist on
obtenir to obtain, get
l'**occasion,** *f.* opportunity, occasion
occupé busy, occupied
occuper to occupy; **s'— de** to take care of, be concerned with
l'**odeur,** *f.* odor
l'**œil,** *m.* eye; **à vue d'—** before one's eyes; **coup d'—** glance
l'**œuvre,** *f.* work, piece of work, product
l'**officier,** *m.* officer; **— de carrière** career officer
offrir to offer, give
l'**ombre,** *f.* shadow; **à l'—** in the shade
l'**omoplate,** *f.* shoulder blade
l'**oncle,** *m.* uncle
l'**ongle,** *m.* fingernail
onze eleven
opérer to operate; **— une arrestation** to make an arrest
or now, but
l'**orage,** *m.* thunderstorm
orageu–x, –se stormy
l'**ordre,** *m.* order, orderliness, tidiness; **remettre de l'—** to tidy up, straighten up; **il n'avait pas d'—** he was untidy
l'**oreille,** *f.* ear
l'**oreiller,** *m.* pillow
l'**orfèvre** goldsmith, silversmith
organiser to organize
l'**orgueil,** *m.* pride
l'**ornière,** *f.* rut
l'**os,** *m.* bone
oser to dare
l'**osier,** *m.* wicker
osseu–x, –se bony
ôter to take away
ou or; **— bien** or else; **— encore** or else
où where, when
oublier to forget
l'**ouest** west
outre: en — besides
(s') **ouvrir** to open; **large ouvert** wide open

le **pagayeur** paddler, oarsman
le **paiement** payment
la **paille** straw
le **pain** bread
la **paire** pair
paisible peaceful
la **paix** peace
le **palais** palace
le **palétuvier** mangrove tree
le **palier** landing
le **pan** panel, section (*of wall, etc.*)
la **pancarte** sign, poster
le **pantalon** trousers
le **pantin** puppet
la **pantoufle** slipper
le **papier** paper; **— de soie** tissue paper; **les —s** identification papers
le **paquet** package, bundle
par by, through, via, per, upon, with; **— exemple** for example; **— semaine** a (per) week
paraître to appear, seem
le **parapluie** umbrella
parbleu! by heaven!
parce que because

par-ci par-là here and there
parcourir to travel over, cover (*a distance*)
le **pardon: demander ——** to ask (*or* beg) forgiveness; ——? what did you say?
pareil, –le like, similar
le **parent** parent, relative
la **paresse** laziness
paresseu–x, –se lazy
parfait perfect
parfois sometimes, occasionally
parier to bet
parler to speak, talk; —— **d'autre chose** to change the subject; **entendre —— de** to hear about
parmi among
la **parole** word
la **part** part, behalf; **à ——** except for, apart from; **de ma ——** on my behalf; **nulle ——** nowhere; **pour sa ——** as for him (her); **quelque ——** somewhere
partager to share
particulier particular; **en ——** in particular, especially
la **partie** game; **faire la —— avec** to participate with
partir to leave, go away; **—— du même pied** to begin on an equal footing
partout everywhere
parvenir (à) to succeed (in)
le **pas** step, footstep, pace; **s'attacher à ses ——** to dog his footsteps; **faire deux ——** to take several steps; **traces de ——** footprints
pas: ne ... pas not; **même ——** not even
le **passage** passing
le **passager** passenger
le **passant** passerby
passé faded
le **passé** past
passer to pass, pass by, transmit, spend (*time*), slip on (*garment*); **—— de bons moments** to have good times; **—— en revue** to review, look over; **se ——** to happen, be going on
la **passion: se prendre de —— pour** to take a passionate liking to
la **pastille** tiny light bulb
la **pâte** pastry, dough
le **pâté** meat paste
le **patron** boss, proprietor, pattern
la **patrouille** patrol
la **patte** paw, tab (*of wallet, etc.*); **traîner la ——** to drag one's tail
la **paume** palm
pauvre poor, unfortunate
le **pauvre** pauper
le **pavé** pavement
le **pavillon** small house, wing (*of building*)
payer to pay
le **pays** country, nation, region
la **peau** skin
la **pêche** peach, fishing; **aller à la ——** to go fishing; **bateau de ——** fishing boat; **filet de ——** fishnet; **ligne de ——** fishing line
pêcher to fish
le **pêcheur** fisherman; **—— à la**

ligne (*fresh water*) fisherman
le **peigne** comb; **se donner un coup de —** to run a comb through one's hair
le **peignoir** dressing gown
peindre to paint
la **peine** trouble, difficulty, punishment; **à —** scarcely, hardly; **avoir — à** to have difficulty in; **c'est à — s'il ...** he hardly . . .; **est-ce la — de ...?** is it worth the trouble to . . .? **faire de la — à** to grieve deeply; **homme de —** day laborer; **se donner la — (de)** to take the trouble (to); **sous — de mort** on pain of death
le **peintre** painter
la **peinture** paint, painting
se **pencher** to lean
pendant during, for, while
pénétrer to penetrate, enter
pénible difficult, painful
la **péniche** river barge
la **pénombre** gloom, dim light
la **pensée** thought
penser to think
la **pension** pension, room and board
le(la) **pensionnaire** boarder
la **pente** slope, gradient
percer to pierce, penetrate
perdre to lose; **— du temps** waste time; **à ses moments perdus** in his spare time
le **père** father
le **perfectionnement** improvement
permettre to permit, allow; **se —** to indulge in
persifler to joke, banter
persister to persist, linger
le **personnage** character (*in a book, play*)
la **personne** person; **ne ... —** nobody, no one
pétillant sparkling
petit small, little, short; **le —** the little fellow; **la —e** the little girl
le **pétrole** kerosene
peu little, quite; **quelque —** somewhat; **— à —** little by little; **— importe que** little does it matter that
le **peuple** people, race
peuplé de inhabited by, filled with
la **peur** fear; **avoir —** to be afraid
peut-être perhaps
le **photographe** photographer
la **phrase** sentence, phrase
la **physionomie** features, facial expression
la **piade** hermit crab
pianoter to drum, patter
la **pièce** room
le **pied** foot; **à —** on foot; **commencer du mauvais —** to get a bad start; **mettre les —s** to set foot; **partir du même —** to begin on an equal footing
la **pierre** stone
la **pile** pile, stack
le **pilon: — de bois** pegleg
la **pilule** pill
le **pin** pine tree
le **pinceau** brush (*of artist*)
pincer to pinch, arrest; **se**

faire —— to get pinched, arrested; **se ——** to pinch oneself
piquer to prick, stick, to head for, steer toward (*nautical*); **—— des colères terribles** to burst into terrible fits of anger
pire worse; **le ——** the worst
la **pirogue** (*dug-out*) canoe
pis, *adv.* worse; **tant ——** so much the worse
la **piste** trail
le **pisteur** hotel tout
le **pistolet: un drôle de ——** an oddball
pistonner, *fam.* to sponsor, back
la **pitié** pity, mercy
la **P.J.,** *abbr.* **Police Judiciaire**
le **placard** (*wall*) cupboard
la **place** (*city*) square, place, space; **changer de ——** to move; **prendre ——** to take a seat; **sur ——** on the scene
la **plage** beach
se **plaindre (de)** to complain (of)
la **plainte** complaint; **porter ——** to bring action, to lodge a complaint
plaire (à) to please; **se —— ici** to like it here
le **plaisir** pleasure; **lui faire ——** to please him
le **plan** plan, map
la **planche** board, plank
le **plancher** floor
la **plaque** spot, blotch
le **plat** dish
le **plat-bord** gunwale
plein full; **en ——** smack in the middle; **en ——e forêt équatoriale** in the heart of the equatorial jungle
pleurer to cry, weep
pleuvoir to rain
plier to fold; **se —— en deux** to bend over double, to double over
le **plomb** lead; **dormir comme un ——** to sleep soundly, sleep like a log
plombé leaden
(se) **plonger** to plunge
la **pluie** rain
la **plupart** most
plus, *adv.* more, plus, in addition; **—— que** more than; **au ——** at the most; **de —— en ——** more and more; **en ——** furthermore; **le ——** most of all; **non ——** (not) either
plusieurs several
plutôt (que) rather (than), sooner, more likely
la **poche** pocket; **—— revolver** hip pocket
la **pochette** small pocket, compartment (*of wallet*)
le **poids** weight, importance; **de tout son ——** with his full weight
le **poignet** wrist
le **poil** hair, bristle
le **poing** fist; **coup de ——** blow with the fist
le **point** point; **à quel ——** to what extent; **au ——** ready, perfect; **être sur le —— (de)** to be on the verge (of); **sur ce ——** on that score

la **pointe** tip, point (*of land*); **—s de fer** pointed iron bars
le **poisson** fish; **prendre du —** to catch fish
le **poivre: — et sel** grizzled
poli polite
la **police** police, policy
la **Police Judiciaire** Judiciary Police, *whose function it is to track down criminals and bring them to justice; also, the headquarters of the Judiciary Police*
le **Police-Secours** *police alarm system of Paris*
poliment politely
polonais Polish
le **Polonais** the Pole
la **pommade** salve
la **pomme: —d'Adam** Adam's apple
le **pont** bridge, deck
le **port** seaport
portant: être bien — to be well
la **porte** door
la **portée: à — de** within reach of
le **portefeuille** wallet
le **portemanteau** coat-stand
porter to carry, wear, take; **se — sur** to direct itself toward (*glance, etc.*); **— plainte** to lodge a complaint
le **porteur** porter, carrier
portugais Portuguese
poser to put, place; **— une question** to ask a question
posséder to own, possess
le **poste** post, station
la **postière** postmistress
le **poteau** post (*of wood, metal*)
la **potion** potion, draught
la **poubelle** trash can
la **poudre** powder
la **poule** chicken, *fam.* girl, "chick"
la **poupe** stern, poop; **une figure de —** carved figure (*as on old sailing ships*)
pour for, in order to; **— que** so that; **— quoi faire?** what for?
pourchassé pursued, hunted
pourquoi why
poursuivre to pursue, chase
pourtant however
la **poussée** growth; **une — d'urticaire** a case of hives
pousser to push, push open, impel, urge, utter, grow
la **poussière** dust
poussiéreu–x, –se dusty, dirty
pouvoir to be able, can; **n'en — plus** to be worn out
pratiquer to perform
précédemment previously
précédent preceding
précieu–x, –se precious
se **précipiter** to rush
précis exact, precise
précisément precisely
prédire (*p. p.:* **prédit**) to predict
la **Préfecture de police** (*Paris*) police headquarters
préférer to prefer
premi–er, –ère first
prendre to take, get, take on, assume; **— au sérieux** to take seriously; **— du poisson** to catch fish; **—**

garde to be careful, take care; —— **garde à** to notice, be aware of, pay attention to; —— **la retraite** to retire; —— **la T.S.F.** to listen to the radio; —— **le frais** to enjoy the cool of evening; —— **note** to take down; —— **un air buté** to assume a stubborn look; **qu'est-ce qui t'a pris?** what's got into you?; **se** —— **de passion pour** to take a passionate liking to; **se faire** —— to get caught; **s'y** —— to go about (doing something)

le **prénom** first name, given name

préoccupé preoccupied, engrossed

préparer to prepare

près (de) near, close (to); **à peu** —— almost, just about; **le plus** —— very close; **se voir de si** —— to see each other so close up

la **présence: être mis en —— de** to be brought face to face with

presque almost

la **presse** the press, the papers

pressé in a hurry, hurrying

le **pressentiment** premonition, foreboding

se **presser** to hurry, be in a hurry

prestigieu–x, –se amazing

prêt ready

prétendre, *v.i.* to claim

prétentieu–x, –se pretentious

la **prétention** pretentiousness

prêter to lend

la **preuve** proof

prévenir to warn, notify

prévoir to foresee, anticipate

prier to pray, beg; **je vous en prie** don't mention it, please do

la **prime** reward, benefit (*insurance*)

pris (*p. p. of* **prendre**) taken, caught

la **prise** hold, grip

le **prisonnier** prisoner, captive

procéder to proceed

le **procès** trial; —— **-verbal** summons

prochain approaching, coming, next

proche nearby

procurer to procure, obtain, get

se **produire** to happen

se **profiler** to be outlined, be silhouetted

profond deep

la **proie** prey; **en —— à** the victim of, fallen prey to

le **projet** plan, project; **mon premier** —— my original plan

se **promener** to walk, stroll

promettre to promise; **se —— de** to determine, make up one's mind to

le **pronom** pronoun

prononcer to pronounce, declare, say

propos: à —— by the way; **à tout** —— at every turn

propre, *adj.* (*before n.*) own, (*after n.*) clean; **un —— à rien** a good-for-nothing

le **propriétaire** owner, proprietor

prospecter to prospect (for)
le **prospectus** advertising matter
prospère prosperous, wealthy
la **proue** prow (*of a ship*)
provenir, *v.i.* to issue, come, originate
provoquer to cause, provoke
la **proximité: à — de** near
la **pudeur** modesty
puer to smell, stink
puis then, next
puisque since
puissant strong, powerfully built
la **punaise** bedbug
pur pure; **un — hasard** a mere stroke of luck
purger to serve (*a sentence*)
le **pyjama** pajama

le **quai** wharf (*in Paris, any street running along the Seine river*)
quand when; **— même** even so, just the same
quant à as for
la **quarantaine** about forty
quarante forty
le **quart** quarter, quarter hour
le **quartier** section (*of a city*)
le **quartier-maître** quartermaster
quatre four
quatrième fourth
quelconque any (*at all*)
quelque, *adj.* some; **—s** a few, some; **— chose** something; **—fois** sometimes; **— part** somewhere; **quelqu'un** somebody; **quelques-uns** a few, some (*people*)

la **querelle** quarrel
la **question (de)** question, matter (of)
questionner to query, question
qui who, which
quinze fifteen; **— jours** a fortnight
quinzième fifteenth
quitter, *v.t.* to leave
quoi what, which; **— que ce soit** whatever it may be, anything whatsoever; **—, sa jambe?** what about his leg?; **..., —!** I tell you! you see! (*at the end of a phrase for emphasis*); **à — bon?** what's the use? what good?; **de — manger** something to eat
quoique although

le **raccourci** shortcut, abridgment; **employer des —s** to abridge, take shortcuts
raccrocher to hang up; **se — à** to attach oneself to, clutch
racé well-bred
la **racine** root
râcler to scrape; **se — la gorge** to clear one's throat noisily
raconter to tell, relate
rafraîchir to refresh, freshen up
raide steep, stiff
la **raison** reason; **à plus forte —** all the more reason; **avoir —** to be right
rajuster to readjust

ralentir to slow up; **au ralenti** at reduced speed
le **ramassage** gathering, collecting
ramasser to pick up
ramener to bring back
la **rampe** banister
le **rang** row, line
rangé lined up, standing in a row
le **rapide** the express (*train*)
le **rappel:** — **à l'ordre** call to order
rappeler to call back
le **rapport** report, relationship; **être en — avec** to be in touch with; **immeuble de —, maison de —** tenement building, apartment building
rapporter to bring back home
se **rapprocher** to draw near, approach
raréfier to make rare, reduce the number of
la **rascasse** scorpaena (*Mediterranean fish*)
se **rasseoir** to sit down again
rassurer to reassure
le **raté** backfire (*lit.*, the missed one)
rater to miss
rattaché à connected with
rattraper to catch again, recapture, retrieve
rauque hoarse
ravissant charming, delightful
le **ravitaillement** fresh supply
raviver to revive
rayer to strike out, remove (*from a list, etc.*)
le **rayon** ray (*of light*)
le **rebord** edge, sill (*of a window*)
recacher to hide again
recevoir (*p. p.:* **reçu**) to receive, get, welcome, admit
réchauffer to warm up
la **recherche** research, investigation
recherché sought after, wanted
rechercher to seek, look for
réciproque reciprocal
le **récit** story
la **réclame** advertising, advertisement
réclamer to demand, order; **qui me réclame** which requires my attention
le **recoin** nook, cranny, tiny recess
recommander to recommend, exhort
recommencer to begin again
reconduire to take back
reconnaître to recognize, identify
reconstituer reconstitute, reconstruct (*an event*)
se **recoucher** to go back to bed
le **recours** recourse, appeal
recouvert (de) covered (with)
rectifier to rectify, correct
le **reçu** receipt
recueillir to receive, shelter, take in
reculer to back up, retreat
la **rédaction** writing, editing, newspaper office
redescendre to come (*or* go back) downstairs

redevenir (*p.p.*: **redevenu**) to become again
rédiger to write, compose, draw up
se **redresser** to straighten up
réel, -le real, actual **réellement** really
(se) **refermer** to close again
réfléchir to think over, reflect
le **réflexe** reflex
la **réflexion** reflection, thought, remark
se **réfugier** to take refuge
le **regard** look, glance
regarder to look (at), concern; —— **faire** to watch (*someone*) work
le **régime** diet
le **régiment: au** —— in the army
la **règle** rule; **en** —— regular
régler: avoir un compte à —— to have a score to settle
régner to reign, prevail
regretter (de) to regret, be sorry (that)
réguli-er, -ère regular, steady, even
relever to raise, pick up, brush back; —— **les empreintes** to get the (finger-) prints; **se** —— to get up again
relier to bind, connect
remarquer to notice; **faire** —— to point out, call to one's attention
rembourser to reimburse
remercier to thank
remettre to put back, remit, hand over; —— **de l'ordre** to tidy up, straighten up (*a room, etc.*)
remontant restorative, stimulating
remonter to go back up; —— **à** to date from; —— **dans** to get back on (*a vehicle*)
remplacer to replace
se **remplir** to be filled
remuer to move around, stir
(se) **rencontrer** to meet
le **rendez-vous** appointment, date
rendre to render, make, give back; —— **compte de** to tell about, report on; **se** —— to go, become; **se** —— **compte de** to realize
renfermé withdrawn, taciturn
renfrogné sullen, scowling
renifler to sniff
la **renommée** renown
renouveler to renew
les **renseignements,** *m. pl.* information
renseigner to inform; **se** —— **(sur)** to seek information (about)
la **rente** income (*from investment*)
rentrer to come home, return
(se) **renverser** to overturn; **renversé en arrière** leaning back
renvoyer to return, send back
réparer to fix, repair
le **repas** meal
repêcher to fish out of the water
se **repentir (de)** to repent (of), be sorry (for)
repérer to spot, locate
répéter to repeat
replié folded up, turned in

(*or* back)
la **réplique** retort, answer; **d'un ton sans —** in a peremptory tone of voice
répliquer to reply, retort, answer
répondre (à) to answer, reply
la **réponse** answer
repousser to push back, to grow back again
reprendre to resume; **— goût à** to take a new liking for
représenter to picture, depict
le **reproche** reproach
(se) **reprocher** to reproach (oneself)
se **reproduire** to be repeated, duplicated
répugner (à) to feel repugnance (to); **tu me répugnes** you disgust me, you revolt me
la **rescousse** rescue
réservé: — à reserved for
résister (à) to resist
résonner to resound, ring, vibrate
le **respect: par — humain** through concern for the opinion of others
respectueusement respectfully
la **respiration** breathing, movement (*of the sea*)
respirer to breathe
le **responsable** the responsible person *or* party
ressembler (à) to look like, resemble; **se —** to resemble each other *or* one another
ressentir to feel
le **ressort** jurisdiction
ressortir to go out again
le **reste** rest, remainder; **les —s** remains
rester to remain
le **résultat** result
se **rétablir** to recover
retentir to sound, ring out
retirer to take off, remove; **se retirer** to withdraw, take leave
le **retour** return; **sur le —** past middle age
retourner to return; *v.t.* to turn around (*or* over); **se —** to turn around, over; **se — sur** to look round, peer back
la **retraite** retirement; **prendre la —** to retire
le **retraité** retired person
rétrécir to shrink
retrouver to find, find again, regain; **se —** to meet again
réunir to unite, bind
réussir to succeed
la **réussite** success
le **rêve** dream
le **réveil** awakening
réveiller to awaken
la **révélation** revelation, discovery
révélatrice, *adj.* (*f. of* **révélateur**) revealing
révéler to reveal
le **revendeur** dealer, middleman
revenir (à) to come back, return (to); **— sur** to go back on (*one's word*); **il me revient** it occurs to me, I

think of, I'm told, I hear; **cela me revient** it's coming back to me, I remember
rêver to dream; — **tout haut** to dream out loud
le **réverbère** street lamp
le **revers** lapel
rêveusement dreamily, pensively
revoir to see again; **au —** good-bye; **il revoyait sans cesse** he kept seeing
la **revue; passer en —** to review, examine, look over
se **rhabiller** to get dressed again
le **rhum** rum
le **rhume** head cold
ricaner to grin, sneer
la **ride** wrinkle, ripple
le **rideau** curtain
ridicule ridiculous
rien nothing; — **qu'à** (*with n.*) just by; — **qu'en** (*with pres. p.*) merely by; **cela ne fait —** forget it, that makes no difference; **un propre à —** a good-for-nothing
rigolo, –te, *pop.* funny, comic
la **rigueur: à la —** if need be
rire to laugh
le **rire** laughter, laugh
risquer (de) to risk, run the risk of
la **ritournelle** refrain
la **rive** shore, bank
la **rivière** river
le **riz** rice
la **robe** dress; — **de chambre** dressing gown
le **robinet** faucet
le **rocher** rock
rôder to prowl
le **roman** novel
rond round; **tourner en —** to go round in circles; **tourner —** to go well
la **ronde** beat, patrol (*of police*)
rondelet, –te plump
le **ronflement** snoring
rose pink
le **roseau** reed
la **rosée** dew
rouge red
la **rougeur** redness, flush
rougir to blush, turn red
le **rouleau: être au bout de son —** to be at the end of one's rope
rouler to roll, roll up, roll along, travel (*on wheels*), swindle
rouspéter to protest loudly, complain
la **rousseur: tache de —** freckle
la **route** road; **se mettre en —** to start out; **un petit bout de —** a short distance
rou–x, –sse red, red-headed
royalement royally, like a king
rudement, *fam.* extremely, dog-gone
la **rue** street
le **rythme** rhythm; **à un — lénifiant** with a soothing motion

le **sac** bag, handbag
saccadé jerky
sacré damned, blasted
sacrebleu blast it!
sadique sadistic

saigner to bleed
saisir to seize, take hold of
salaud dirty dog (*epithet*)
sale dirty, ugly, foul
salé: l'eau ——e salt water
salement dirtily, nastily
la **saleté** filth; **faire des ——s** to dirty, make filthy
saliver to salivate
la **salle** room; **—— à manger** dining room; **—— d'attente** waiting room
le **salon** living room; **—— de coiffure** beauty parlor
le **salut** greeting(s)
le **sang** blood
le **sang-froid** composure
le **sanglot** sob
sangloter to sob
sans, *prep.* without; **—— que,** *conj.* without
la **santé** health
saoul drunk, intoxicated
se **saouler** to get drunk, become intoxicated
satisfaire to satisfy
le **saucisson** sausage
sauf except (for)
saugrenu absurd, far-fetched
le **saut** leap
sauter to jump
la **savate** slipper
savoir to know, know how to; **faire ——** to inform
savonner to lather
la **scarlatine** scarlet fever
scintiller to sparkle
le **scrupule** scruple, doubt
sec, sèche dry, curt
la **seconde** second
secouer to shake, shake out
le **secours** help; **au ——!** help!
le **secteur** sector, section
la **séduction** charm (*physical*)
le **seigneur** lord
selon according to, depending on, in accordance with
la **semaine** week; **par ——** per week
le **sémaphore** signal-post
le **semblant** semblance, pretense
sembler to seem
la **semelle** sole (*of shoe*)
le **sens** sense, meaning, direction; **—— dessus dessous** upside down
la **sensation: donner une —— de** to feel like, give the impression of
le **sentier** footpath
le **sentiment** feeling
sentir to feel, smell; **—— mauvais** to smell bad; **tu sens le bouchon** you smell of wine; **se ——** to feel; **se —— mal** to feel ill, faint
séparé separated
sept seven
le **sergent-major** top-sergeant
sérieu–x, –se serious, important, genuine
le **serpent** snake
serré tight, close, dense
serrer to squeeze, press, clasp, hold tight; **—— la question** to come to grips with a matter
la **serrure** lock
le **serrurier** locksmith
la **servante** maid-servant
la **serveuse** waitress
servir to serve, be used; **—— de** to serve as; **se —— de**

to utilize
le **seuil** doorstep
seul single, alone, only
seulement only
sévèrement severely, strictly, sternly
si if, whether, so, yes (*only in contradiction*); **mais —!** yes indeed!
sidéré stunned, stupefied
le **siège** seat
le **sieur** mister
le **sifflement** whistling (*sound*)
siffler to whistle
signaler to report
le **signe: faire — de** to signal, wink
signé signed
signer to sign
signifier to mean
silencieusement silently
la **silhouette: prendre la — de** to take on the shape *or* appearance of
le **sillage** wake (*of a boat*)
simplement simply, just
le **singe** monkey, *slang* "character"
sinon if not, except; **— que** except that
sirupeu–x, –se syrupy
la **situation** situation, predicament
situé located
sixième sixth
le **socle** pedestal
la **sœur** sister
la **soie** silk
la **soif** thirst; **avoir —** to be thirsty
soigneusement carefully
le **soin** care; **avec —** carefully
le **soir** evening; **hier au —** last evening
la **soirée** evening, evening party
soixante sixty
le **sol** ground
le **soleil** sun
solennel, –le solemn
sombre dark
la **somme: en —** on the whole, after all, in short
le **somme** nap
le **sommeil** sleep; **avoir le — léger** to be a light sleeper
le **somnifère** soporific, sleeping medicine
la **somnolence** drowsiness
somnoler to doze
le **son** sound
le **songe** dream
sonner to ring, ring for
la **sonnerie** doorbell; **— d'appel** phone bell
le **sort** fate
la **sorte** kind, sort; **de la —** in this way; **de — que** so that
sortir to go out, leave; *v.t.* to take out, pull out
le **sou** cent, farthing
le **souci** care, problem
soudain, *adj. or adv.* sudden(ly)
la **soudaineté** suddenness
souffler to breathe heavily, pant, whisper
souffrir (*p. p.:* **souffert**) to suffer
souhaiter to wish
soulager to relieve
soulever to raise up, lift; **se —** to rise, go up

le **soulier** shoe; **——s vernis** patent leather shoes
souligné underlined
soumettre to submit
le **soupçon** suspicion
soupçonner to suspect
soupçonneu–x, –se suspicious
le **souper** supper
le **soupir** sigh; **un —— d'aise** a sigh of relief
soupirer to sigh
le **sourcil** eyebrow; **froncer les ——s** to frown
sourd deaf
la **sourdine** mute (*for stringed instrument*)
sourire to smile
le **sourire** smile
sournois sly, cunning
sous under
souscrire to subscribe, take out (*insurance*)
le **sous-directeur** assistant manager
le **soutien** support
le **souvenir** recollection, memory, souvenir
se **souvenir (de)** to remember
souvent often
spécialisé specializing
spirituel, –le witty, funny
le **stage** term (*of study or training*)
le **standard** switchboard
stationner to park
le **strapontin** folding seat, jump seat
la **strie** striation
stupidement stupidly
le **stylo** fountain pen
le **subconscient** subconscious
subit sudden
successivement one after the other
sucer to suck
suer to sweat
la **sueur** sweat
suffire to suffice
suggérer to suggest
se **suicider** to commit suicide
suinter to ooze, seep
suisse Swiss
la **suite** rest, remainder; **tout de ——** right away, immediately
suivant following
suivre to follow; **se ——** to follow successively; **suivi de** followed by
le **sujet** subject; **au —— de** concerning, about, on the subject of
suppléer à to supplement
le **supplice** torture; **au ——** in torment
supplier to beg, entreat; **—— le bon Dieu** to entreat the good Lord; **je vous en supplie** I beg of you, please
supporter to stand, put up with, bear
sur on
sûr sure
le **surcroît: par ——** into the bargain, in addition
sûrement surely, certainly
la **Sûreté** *national department of criminal investigation (comparable to American FBI)*
sur-le-champ immediately
surmonté: —— de surmounted by, crowned with
le **surnom** nickname

surnommer to nickname
le **surplus** surplus; **au** — moreover
surpris surprised
le **sursaut** twitch, spasm, start
surtout especially, mainly, above all
surveiller to watch, observe
survenir to occur
la **susceptibilité** touchiness
suspendu stopped
la **suspension** chandelier; **— à gaz** gas chandelier
la **syllabe** syllable
la **sympathie** good feeling, sympathy

le **tabac** tobacco
la **table** table; **— de nuit** bedside table; **— d'écoute** monitoring station, wire-tap
la **tablette** shelf
la **tache** spot; **— de rousseur** freckle
tâcher (de) to try (to)
la **taille** waist, size, height; **de petite —** small in size, stature; **de toute sa —** at full height
tailler (dans) to cut (out of)
se **taire** to be silent
le **talon** heel
tandis que while, whereas
tanguer to pitch (*of a boat*)
tant so much; **— pis** so much the worse
tantôt: — ... — sometimes . . . at other times, a while ago . . . now
la **tapée,** *fam.:* **une —** scads, oodles
taper to tap, strike; **le soleil avait tapé dur** the sun had beaten down
le **tapis** carpet
la **tapisserie** tapestry; **pantoufles de —** carpet slippers
tarabuster, *pop.* to worry, pester
tard late; **plus —** later; **sur le —** late in life
tardi–f, –ve late, delayed
le **tas** pile, heap, large number
la **tasse** cup
tassé slumped, hunched
tâter to feel (*with fingers*)
tatillon fussy
tel, –le such
télégraphiquement by telegraph
tellement so (*to such an extent*)
le **témoignage** evidence, testimony
le **témoin** witness
la **tempe** temple (*part of head*)
la **tempête** storm
le **temps** time; **avoir le — de** to have time to; **ces derniers —** recently; **de — en —** from time to time; **en même — que** at the same time as; **l'emploi du —** schedule; **tout le —** constantly
le **tenancier** proprietor
tendre soft
tendre to extend, hold out, hand; **— l'oreille** to strain one's ears; **se —** to become tense
tendu tense
tenir to hold; **— à** to in-

sist upon; — **bon, ferme** to hold fast, hang on; — **compagnie à** to stay with; — **le coup** to withstand the blow; **être tenu de faire** to be required to do; **tiens! tenez!** listen! look! say! well!; **se** — to remain, stay, hold each other; **se** — **assis** to sit, remain seated; **se** — **debout** to stand, remain standing; **se** — **immobile** to stay motionless; **s'en** — **à** to be satisfied with

tentateur tempting, arousing temptation

le **tentation** temptation

la **tentative** attempt; **une** — **d'évasion** an attempted escape

tenter to try, attempt

la **tenue** dress, grooming

le **terme** term, period

terminer to finish

(se) **ternir** to tarnish, grow dull

la **terrasse** pavement in front of a café, terrace

la **terre** earth, ground; **à** — on the ground; **par** — on the ground, on the floor

la **Terre-Neuve** Newfoundland

la **terreur** terror

le **territoire** territory

la **tête** head; **en** —**-à-**— privately, in secret; **hocher la** — to nod; **se mettre en** — **de** to take *or* get it into one's head to

tienne yours; **à la** — here's to you

le **timbre** bell, postage stamp

timide shy, timid

tirer to pull, draw (out), obtain, draw up, formulate (*a plan*), fire (*a gun*); **tirant sur** tending toward, verging on; **s'en** — to escape, get out of a difficulty

le **tiroir** drawer

la **tisane** herb tea, infusion

le **tissu** cloth, material

le **titre** title; **à** — **purement personnel** as a purely personal matter

tituber to stagger, stumble

le **titulaire** holder, owner

la **toile** cloth, canvas, linen

la **toilette: faire la** — to get washed and dressed

le **toit** roof; **crier sur les** —**s** to shout from the rooftops

tomber to fall; — **la veste** to take off one's jacket

le **ton** tone (*of voice*), hue, color; **d'un** — **sans réplique** in a peremptory tone of voice (*that allows no retort*); **sur un** — **naturel** in a natural tone of voice

le **tonneau** barrel, cask

la **tonnelle** arbor

la **torche électrique** flashlight

tordre to twist

le **torrent: à** —**s** in torrents

le **tort** wrong, mistake; **avoir** — to be wrong

tôt early; **plus** — earlier; **trente ans plus** — thirty years ago

la **touche** nibble (*fishing*)

toucher to touch, cash in, receive (*money*)

toujours always, still

le **tour** turn, trick; **à son ——** in his turn; **faire le —— de** to walk around; **faire un ——** to take a stroll; **fermé à un —— de clef** locked with a key; **fermer à double ——** to double lock (*French doors may be more securely locked by a double turn of the key*); **jouer un mauvais ——** to play a mean trick

la **tournée** round, route, round of drinks

tourner to turn; **—— en rond** to go round in circles; **mal ——** to turn out badly, go to the dogs; **se ——** to turn around

la **Toussaint** All Saints Day (*November 1*)

tout, *adv.* very, entirely; **—— à coup** all of a sudden; **—— à fait** completely, altogether; **—— à l'heure** a while ago, in a little while; **—— de douceur** full of sweetness; **—— de suite** immediately

tout, toute; *pl.* **tous, toutes** all, any, each, every, everything; **—— le monde** everybody; **—— le village** the whole town; **tous les deux** both of them; **de tous les jours** common, everyday; **du ——** at all (*after negative*); **en ——** in all; **en —— cas** in any case

tracasser to worry, pester

la **trace** mark, trace; **——s de pas** footprints

tracer to trace, mark, delineate

trahir to betray

train: être en —— to be in the mood; **être en —— de** to be in the act of, to be busy (*doing something*)

le **train: par le ——** by train

traîner to be lying around; **—— la patte** to drag one's tail, wander about; **se ——** to drag on

le **trait** feature (*of face*), flash, gulp; **vider d'un ——** to empty *or* drain with one gulp

la **traite** draft

le **traité** treatise

traiter to treat; **—— en monsieur** to call someone "sir"

le **trajet** passage, course, path

tranchant curt, peremptory

trancher to cut, slice

tranquille quiet, unmolested; **rester ——** to keep quiet, be still

tranquillement quietly, calmly

transformer to change, transform; **se ——** to become changed, alter

transmettre to transmit

la **transparence: en ——** with the light shining through, against the light

le **travail** work, job; **heures de ——** working hours

travailler to work

travers: à —— through; **à —— le monde** around the world; **en —— du chemin** blocking the way, crosswise

traverser to cross
treizième thirteenth
trembler to tremble, shake, shiver
tremper to soak
la **trentaine** about thirty
trente thirty
trentième thirtieth
très very
le **tressaillement** start, involuntary movement
tressaillir to start, shudder, tremble
le **tribunal** lawcourt
tricher to cheat
tricoter to knit
trier to sort out
triomphalement triumphantly
triste sad, dismal, dreary
trois three
troisième third
se **tromper** to be mistaken
trop too, too much, too many
le **trottoir** sidewalk
le **trou** hole
trouble, *adj.* hazy, unclear
trouver to find; **aller** — to go get, fetch; **venir** — to come see (*someone*); **se** — to be, be located, find oneself; **se** — **mal** to faint
le **truc,** *pop.* thing, thingamajig, business
tuer to kill; **se** — to kill oneself; **se faire** — to let oneself be killed
la **tuile** mishap, unlucky event
tutoyer to address familiarly (*with* **tu**)
le **tuyau** tube, stem, *colloq.* information, tip
le **type** type, sort, fellow, guy; **le** — **même de** the epitome of, the stereotype of; **un** — **du Nord** a Northerner

l'**ulcère,** *m.* ulcer
ultime ultimate
unique only, sole
uniquement solely
usé worn out
user de to use
l'**usine,** *f.* factory
utile useful
l'**utilité,** *f.* usefulness

les **vacances,** *f. pl.* vacation; **en** — on vacation
vague vague, indistinct, uncertain; **un** — **escroc** some crook or other
vaguement vaguely
le **vaisselier** china cupboard
la **vaisselle** dishes
valoir to be worth; — **mieux** to be better, be preferable
vaseu–x, –se muddy, husky (*voice*)
la **vedette** star (*theatrical*)
la **veille** the day before
veiller to be on the watch; — **à ce que** to see to it that
la **veilleuse** night-light
le **velours** velvet
velu hairy
vendre to sell
le **vendredi** Friday
venir to come; — **à bout de**

to overcome, subdue; — **de** to have just; **en — à** to come around to, take to; **lui — en aide** to come to his assistance

le **vent** wind; **prendre le —** to take the air

la **venue: dans leurs allées et —s** in their comings and goings

la **verdure** greenness, verdure

la **vérité** truth; **à la —** in truth, to tell the truth

verni varnished, polished; **des souliers —s** patent leather shoes

le **verre** glass, lens

le **verrou** bolt

vers toward, about

verser to pour

vert green

la **veste** jacket; **tomber la —** to take off one's jacket

le **veston** jacket, suit coat

le **vêtement** article of clothing, *pl.* clothes

vêtu (de) dressed (in)

le **veuf** widower

le **veuvage** widowhood

la **veuve** widow

vexé vexed, annoyed

vide empty; **à —** empty

vider to empty, drain (*a glass*); **— d'un trait** to drain with one gulp

la **vie** life

vieux, vieille old; **mon —** old chap

vigoureu–x, –se vigorous, strong

la **villa** cottage

la **ville** city

le **vin** wine

le **vinaigre** vinegar

vingt twenty

la **vingtaine** about twenty, the score

vingtième twentieth

violent: couleurs —es loud colors

virer to turn

le **visage** face

viser to point, aim at, sight, aspire to

visqueu–x, –se viscous

la **vitalité** vitality, "vim"

vite, *adv.* fast

la **vitesse** speed; **à toute —** at full speed; **changer de —** shift gears

la **vitre** glass pane (*or* facing), window (*of auto*)

vitré glazed, having glass panes; **la cage —e** *small area (office) enclosed in glass panes and resembling a cage*

vivement briskly, sharply

vivre (*p. p.:* **vécu**) to live; **— à ses crochets** to sponge off him; **— d'expédients** to live by one's wits

la **voie** way, road, (*railroad*) tracks; **à contre- —** across the tracks

voilà: — que it so happened that

voir to see; **on verra ça** we'll see about that; **se — de si près** to see each other so close up; **voyons!** come now! see here! let's see now

voire, *adv.* even

voisin neighboring, next-door
le **voisin** neighbor
le **voisinage** neighborhood
la **voiture** auto, car
la **voix** voice; **à — basse** in a low voice; **à mi-—** in an undertone
le **vol** theft; **— avec effraction** burglary
voler to steal
le **volet** shutter
la **volonté** willpower
volontiers willingly
la **volubilité: avec —** volubly
voué destined
vouloir to want, wish; **— bien** to be willing; **— dire** to mean; **en — à** to be annoyed with, have a grudge against
la **voûte** vault, arch
le **voyageur** traveler; **— de commerce** traveling salesman
le **voyou** hooligan, blackguard, guttersnipe
vrai true; **à — dire** to tell the truth; **pas —?** no? don't you think so?
vraiment truly, really
vraisemblable likely
vraisemblablement in all likelihood
la **vue** view; **à — d'œil** before one's eyes
vulgaire vulgar, common

les **yeux** *pl. of* **œil**

zut! gosh!, golly!, oops!